RASA PETRUŽIENĖ, DANGUOLĖ ŽALIONIENĖ

# ANGLŲ-LIETUVIŲ LIETUVIŲ-ANGLŲ KALBŲ PRADŽIAMOKSLIŲ ŽODYNAS

APIE 3000 ŽODŽIŲ

# ENGLISH-LITHUANIAN LITHUANIAN-ENGLISH BEGINNING LEARNER'S DICTIONARY

ABOUT 3000 WORDS

UDK 801.3=20=882
Pe264

Recenzavo humanitarinių mokslų daktarė
docentė *Vytautė Pasvenskienė*

ISBN 9955-01-074-6

# PRATARMĖ

Mokomasis anglų-lietuvių lietuvių-anglų kalbų žodynas skiriamas pirmiausia pradinių klasių mokiniams kaip papildoma anglų kalbos priemonė. Juo gali sėkmingai naudotis ir asmenys, norintys savarankiškai pramokti anglų kalbos. Žodynas apima visus aktyviosios ir pasyviosios mokinių žodyninės atsargos leksinius vienetus ir struktūras.

Žodyną sudaro leksinis minimumas — 3000 leksinių vienetų. Žodyninis straipsnelis padalytas į tris dalis. Pirmoje dalyje nurodomas angliškas žodžio atitikmuo, antroje dalyje — kiekvieno angliško atitikmens tarimas, trečioje dalyje duoti lietuviški ekvivalentai.

Žodyne yra pateiktos netaisyklingųjų veiksmažodžių formos, kiekinių ir kelintinių skaitvardžių tarimas bei rašyba, anglų kalbos garsų simboliai ir angliškų žodžių skaitymo taisyklės, dažniausiai anglų kalboje sutinkami sutrumpinimai, anglų kalbos abėcėlė. "Laikų lentelė" padės jums sudaryti anglišką sakinį, klausimą ir neigiamą sakinio formą keturiais laikais.

Šiame žodyne surinkti žodžiai iš anglų kalbos vadovėlių, skirtų pradiniam lygiui: *English 1* (A. Stasiulevičiūtė), *English 2* (A. Stasiulevičiūtė), *English 1* (L. Kulvietienė), English 2 (L. Kulvietienė), Start with *English 1—4*, *Tip-top 1—4*, *Chatterbox 1—4*, *Fanfare 1—2*, *Whizz kids 1—3*, *Stop at English* (S. Grigaliūnienė), *Let's speak English 1—2* ir kt.

Tikimės, jog šis žodynas padės lengviau ir greičiau įveikti pirmąsias anglų kalbos mokymosi pakopas.

## TURINYS

# KAIP SKAITYTI ANGLIŠKUS ŽODŽIUS

| Raidė, junginys | Garsas | Taisyklė ir pavyzdžiai |
| --- | --- | --- |
| a | [eɪ] | Jei žodžio gale yra balsė -e, tai žodžio vidurinė balsė -a tariasi [eɪ]:<br>K**a**te [keɪt] Katrė<br>n**a**me [neɪm] vardas |
| | [æ] | Jei žodžio gale nėra balsės -e, tai žodžio vidurinė balsė -a tariasi [æ]:<br>b**a**g [bæg] kuprinė<br>f**a**t [fæt] storas |
| | [ə] | Nekirčiuotame skiemenyje:<br>**a**bout [ə'baʊt] apie<br>**a**lone [ə'ləʊn] vienišas |
| ai, ay | [eɪ] | tr**ai**n [treɪn] traukinys<br>p**ay** [peɪ] mokėti |
| ar | [ɑː] | c**ar** [kɑː] automobilis<br>f**ar**mer ['fɑːmə] ūkininkas |
| all | [ɔːl] | b**all** [bɔːl] kamuolys<br>f**all** [fɔːl] kristi |
| air | [eə] | h**air** [heə] plaukai<br>ch**air** [tʃeə] kėdė |
| b, bb | [b] | **b**ag [bæg] kuprinė<br>ru**bb**er ['rʌbə] trintukas |
| c | [k] | Žodžio pradžioje:<br>**c**at [kæt] katė<br>**c**ake [keɪk] tortas |
| | [s] | Prieš e, i, y:<br>**c**ent [sent] centas<br>**c**ircus ['sɜːkəs] cirkas |

| Raidė, junginys | Garsas | Taisyklė ir pavyzdžiai |
|---|---|---|
| ch | [tʃ] | **ch**ick [tʃɪk] viščiukas<br>**ch**alk [tʃɔːk] kreida |
| | [k] | Graikų kilmės žodžiuose:<br>s**ch**ool [skuːl] mokykla |
| d, dd | [d] | **d**og [dɒg] šuo<br>re**dd**er [ˈredə] raudonesnis |
| -ed | [t] | Galūnėje po dusliųjų priebalsių:<br>stopp**ed** [stɒpt] sustojo<br>pass**ed** [pɑːst] praėjo |
| dg | [dʒ] | Prieš e, i, y:<br>bri**dg**e [brɪdʒ] tiltas<br>fri**dg**e [frɪdʒ] šaldytuvas |
| e | [iː] | Jei žodžio gale yra balsė -e, tai žodžio vidurinė balsė -e tariasi [iː] (kaip *y liet. k.*):<br>P**e**te [piːt] Pitas<br>St**e**ve [stiːv] Stivas |
| | [e] | Jei žodžio gale nėra balsės -e, tai žodžio vidurinė balsė -e tariasi [e]:<br>p**e**n [pen] parkeris<br>s**e**nd [send] siųsti |
| | [ɪ] | Daugumoje nekirčiuotų skiemenų:<br>b**e**fore [bɪˈfɔː] prieš<br>pr**e**tend [prɪˈtend] apsimesti |
| ea, ee | [iː] | m**ee**t [miːt] sutikti<br>m**ea**t [miːt] mėsa |
| ear | [eə] | Po priebalsių:<br>p**ear** [peə] kriaušė<br>b**ear** [beə] meška |
| ed | [d] | Po skardžių priebalsių galūnėje:<br>smil**ed** [smaɪld] šypsojosi<br>open**ed** [ˈəʊpnd] atidarė |

| Raidė, junginys | Garsas | Taisyklė ir pavyzdžiai |
|---|---|---|
| f, ff | [f] | **f**arm [fɑːm] ūkis<br>pu**ff** [pʌf] gūsis |
| g, gg | [g] | Prieš a, o, u, žodžio gale:<br>**g**o [gəʊ] eiti<br>ba**g** [bæg] kuprinė<br>tri**gg**er ['trɪgə] gaidukas |
| | [dʒ] | Prieš e, i, y:<br>Geor**g**e [dʒɔːdʒ] Jurgis<br>**g**ypsy ['dʒɪpsi] čigonas |
| gh | [g] | Žodžio pradžioje:<br>**gh**ost [gəʊst] vaiduoklis |
| gh | [-] | Visai neskaitome žodžio viduryje ir gale:<br>ei**gh**t [eɪt] aštuoni<br>hi**gh**er ['haɪə] aukščiau |
| h | [h] | Prieš balsę:<br>**h**im [hɪm] jam, juo<br>**h**en [hen] višta |
| gh | [g] | **gh**astly ['gɑːstli] šiurpus |
| i | [aɪ] | Jei žodžio gale yra balsė -e, tai žodžio vidurinė balsė -i tariasi [aɪ]:<br>k**i**te [kaɪt] aitvaras<br>sm**i**le [smaɪl] šypsena |
| | [ɪ] | Jei žodžio gale nėra balsės -e, tai žodžio vidurinė balsė -i tariasi [ɪ]:<br>p**i**g [pɪg] kiaulė<br>p**i**n [pɪn] smeigtukas<br>Nekirčiuotame skiemenyje:<br>d**i**rect [dɪ'rekt] nurodyti<br>discipl**i**ne ['dɪsɪplɪn] drausmė |
| ir | [ɜː] | g**ir**l [gɜːl] mergaitė<br>b**ir**d [bɜːd] paukštis |

| Raidė, junginys | Garsas | Taisyklė ir pavyzdžiai |
|---|---|---|
| j | [dʒ] | **J**ane [dʒeɪn] Džeinė |
| | | **j**et [dʒet] reaktyvinis lėktuvas |
| k, kk | [k] | **k**ind [kaɪnd] nuoširdus |
| | | ta**k**e [teɪk] imti |
| kn | [n] | Netariame k: |
| | | **kn**ow [nəʊ] žinoti |
| | | **k**nit [nɪt] megzti |
| ck | [k] | kno**ck** [nɒk] belsti |
| | | du**ck** [dʌk] antis |
| l, ll | [l] | **l**ove [lʌv] meilė |
| | | a**ll** [ɔːl] visi |
| alk | [ɔːk] | Netariame -l: |
| | | **talk** [tɔːk] kalbėti |
| m, mm | [m] | **m**y [maɪ] mano |
| | | su**mm**er ['sʌmə] vasara |
| n, nn | [n] | **n**ine [naɪn] devyni |
| | | thi**nn**er ['θɪnə] plonesnis |
| mn | [m] | Neskaitome gale -n: |
| | | autu**mn** ['ɔːtəm] ruduo |
| ng | [ŋ] | morni**ng** ['mɔːnɪŋ] rytas |
| | | ceili**ng** ['siːlɪŋ] rytas |
| o | [əʊ] | Jei žodžio gale yra balsė -e, tai žodžio vidurinė balsė -o tariasi [əʊ]: |
| | | r**o**se [rəʊz] rožė |
| | | n**o**se [nəʊz] nosis |
| | [ɒ] | Jei žodžio gale nėra balsės -e, tai žodžio vidurinė balsė -o tariasi [ɒ]: |
| | | h**o**t [hɒt] karštas |
| | | p**o**t [pɒt] puodas |
| | [ə] | Tik nekirčiuotuose skiemenyse: |
| | | connect [kə'nekt] jungti |
| | | correct [kə'rekt] taisyti |

| Raidė, junginys | Garsas | Taisyklė ir pavyzdžiai |
|---|---|---|
| oi, oy | [ɒɪ] | **toy** [tɒɪ] žaislas<br>**joy** [dʒɒɪ] džiaugsmas |
| oo | [u:] | sp**oo**n [spu:n] šaukštas<br>s**oo**n [su:n] greitai |
| oo+k | [ʊ] | b**ook** [bʊk] knyga |
| ow, ou | [aʊ] | Žodžio viduryje:<br>t**ow**n [taʊn] miestas<br>s**ou**nd [saʊnd] garsas |
| ow | [əʊ] | Žodžio gale:<br>foll**ow** ['fɒləʊ] sekti<br>fell**ow** ['feləʊ] draugas |
| p, pp | [p] | **p**en [pen] parkeris<br>pe**pp**er ['pepə] pipirai |
| ph | [f] | **ph**one [fəʊn] telefonas<br>**ph**onetic [fə'netɪk] fonetinis |
| qu | [kw] | **qu**ite [kwaɪt] beveik<br>**qu**een [kwi:n] karalienė |
|  | [k] | **qu**eue [kju:] eilė |
| r, rr | [r] | Prieš balsę:<br>**r**ice [raɪs] ryžiai<br>ma**rr**y ['mæri] vesti |
| rh | [r] | **rh**inoceros [raɪ'nɒsərəs] raganosis<br>**rh**yme [raɪm] eilėraštis |
| s, ss | [s] | Žodžio pradžioje:<br>**s**kate [skeɪt] čiuožti<br>**s**even ['sevn] septyni<br>Daiktavardžių daugiskaitos galūnėse po dusliųjų priebalsių:<br>book**s** [bʊks] knygos<br>cat**s** [kæts] katės |

| Raidė, junginys | Garsas | Taisyklė ir pavyzdžiai |
| --- | --- | --- |
| s | [z] | Daiktavardžių daugiskaitos galūnėse po skardžiųjų priebalsių:<br>day**s** [deɪz] dienos<br>hill**s** [hɪlz] kalnai |
| es | [ɪz] | Daiktavardžių daugiskaitos galūnėse po ch, s, ss, x, z:<br>box**es** ['bɒksɪz] dėžės<br>vas**es** ['vɑːzɪz] vazos |
| sh | [ʃ] | **sh**e [ʃiː] ji<br>**sh**eep [ʃiːp] avis |
| t, tt | [t] | **t**op [tɒp] viršus<br>ki**tt**en ['kɪtn] kačiukas |
| th | [θ] | **th**ree [θriː] trys<br>four**th** [fɔːθ] ketvirtas |
| | [ð] | Tarnybinių žodžių (parodomojo pobūdžio) pradžioje:<br>**th**is [ðɪs] šitas, šita<br>**th**ese [ðiːz] šitie, šitos |
| u | [juː] | Jei žodžio gale yra balsė -e, tai žodžio vidurinė balsė -u tariasi [juː]:<br>t**u**ne [tjuːn] nata<br>d**u**ne [djuːn] kopa |
| | [ʌ] | Jei žodžio gale nėra balsės -e, tai žodžio vidurinė balsė -u tariasi [ʌ]:<br>b**u**s [bʌs] autobusas<br>c**u**p [kʌp] puodelis |
| v, vv | [v] | **v**ase [vɑːz] vaza<br>**v**isit ['vɪzɪt] aplankyti |
| w | [w] | **w**atch [wɒtʃ] stebėti<br>**w**ave [weɪv] banga |

| Raidė, junginys | Garsas | Taisyklė ir pavyzdžiai |
|---|---|---|
| wr | [r] | **wr**ite [raɪt] rašyti<br>**wr**ong [rɒŋ] blogas |
| wh | [w] | **wh**y [waɪ] kodėl<br>**wh**en [wen] kada |
| x | [ks] | Žodžio viduryje ir gale:<br>fo**x** [fɒks] lapė |
| x | [z] | Žodžio pradžioje:<br>**x**ylophone [ˈzaɪləfəʊn] metalofonas |
| y | [j] | Žodžio pradžioje:<br>**y**ellow [ˈjeləʊ] geltona<br>**y**ard [jɑːd] kiemas |
| y | [ɪ] | Žodžio viduryje:<br>p**y**ramid [ˈpɪrəmɪd] piramidė |
| y | [i] | Žodžio gale:<br>famil**y** [ˈfæmɪli] šeima |
| z, zz | [z] | **z**ebra [ˈziːbrə] zebras<br>bu**zz** [bʌz] zvimbimas |

Brūkšnelis prie žodžio tarimo parodo kirčiuotą skiemenį. Žodyje jų gali būti ir du: vienas viršuje, kitas apačioje. Viršuje kirtis yra pagrindinis, o apačioje pažymėtas — antrinis. Vienskiemeniuose žodžiuose kirtis nežymimas.

# KIEKINIAI SKAITVARDŽIAI

## NULIS — ŠIMTAS

| 0 | zero | ['zɪərəʊ] | nulis |
|---|---|---|---|
| 1 | one | [wʌn] | vienas |
| 2 | two | [tuː] | du |
| 3 | three | [θriː] | trys |
| 4 | four | [fɔː] | keturi |
| 5 | five | [faɪv] | penki |
| 6 | six | [sɪks] | šeši |
| 7 | seven | ['sevn] | septyni |
| 8 | eight | [eɪt] | aštuoni |
| 9 | nine | [naɪn] | devyni |
| 10 | ten | [ten] | dešimt |
| 11 | eleven | [ɪ'levn] | vienuolika |
| 12 | twelve | [twelv] | dvylika |
| 13 | thirteen | [ˌθɜː'tiːn] | trylika |
| 14 | fourteen | [ˌfɔː'tiːn] | keturiolika |
| 15 | fifteen | [ˌfɪf'tiːn] | penkiolika |
| 16 | sixteen | [ˌsɪks'tiːn] | šešiolika |
| 17 | seventeen | [ˌsevn'tiːn] | septyniolika |
| 18 | eighteen | [ˌeɪ'tiːn] | aštuoniolika |
| 19 | nineteen | [ˌnaɪn'tiːn] | devyniolika |
| 20 | twenty | ['twenti] | dvidešimt |
| 21 | twenty-one | [ˌtwenti 'wʌn] | dvidešimt vienas |
| 22 | twenty-two | [ˌtwenti 'tuː] | dvidešimt du |
| 23 | twenty-three | [ˌtwenti 'θriː] | dvidešimt trys |

| | | | |
|---|---|---|---|
| 24 | twenty-four | [ˌtwenti ˈfɔː] | dvidešimt keturi |
| 25 | twenty-five | [ˌtwenti ˈfaɪv] | dvidešimt penki |
| 26 | twenty-six | [ˌtwenti ˈsɪks] | dvidešimt šeši |
| 27 | twenty-seven | [ˌtwenti ˈsevn] | dvidešimt septyni |
| 28 | twenty-eight | [ˌtwenti ˈeɪt] | dvidešimt aštuoni |
| 29 | twenty-nine | [ˌtwenti ˈnaɪn] | dvidešimt devyni |
| 30 | thirty | [ˈθɜːti] | trisdešimt |
| 40 | forty | [ˈfɔːti] | keturiasdešimt |
| 50 | fifty | [ˈfɪfti] | penkiasdešimt |
| 60 | sixty | [ˈsɪksti] | šešiasdešimt |
| 70 | seventy | [ˈsevnti] | septyniasdešimt |
| 80 | eighty | [ˈeɪti] | aštuoniasdešimt |
| 90 | ninety | [ˈnaɪnti] | devyniasdešimt |
| 100 | hundred | [ˈhʌndrəd] | šimtas |

# KELINTINIAI SKAITVARDŽIAI

## PIRMAS — ŠIMTASIS

| | | | |
|---|---|---|---|
| the $1^{st}$ | the first | [fɜːst] | pirmas |
| the $2^{nd}$ | the second | [ˈsekənd] | antras |
| the $3^{rd}$ | the third | [θɜːd] | trečias |
| the $4^{th}$ | the fourth | [fɔːθ] | ketvirtas |
| the $5^{th}$ | the fifth | [fɪfθ] | penktas |
| the $6^{th}$ | the sixth | [sɪksθ] | šeštas |
| the $7^{th}$ | the seventh | [ˈsevnθ] | septintas |
| the $8^{th}$ | the eighth | [eɪtθ] | aštuntas |
| the $9^{th}$ | the ninth | [naɪnθ] | devintas |
| the $10^{th}$ | the tenth | [tenθ] | dešimtas |
| the $11^{th}$ | the eleventh | [ɪˈlevnθ] | vienuoliktas |
| the $12^{th}$ | the twelfth | [twelfθ] | dvyliktas |
| the $13^{th}$ | the thirteenth | [ˌθɜːˈtiːnθ] | tryliktas |
| the $14^{th}$ | the fourteenth | [ˌfɔːˈtiːnθ] | keturioliktas |
| the $15^{th}$ | the fifteenth | [ˌfɪfˈtiːnθ] | penkioliktas |
| the $16^{th}$ | the sixteenth | [ˌsɪksˈtiːnθ] | šešioliktas |
| the $17^{th}$ | the seventeenth | [ˌsevnˈtiːnθ] | septynioliktas |
| the $18^{th}$ | the eighteenth | [ˌeɪˈtiːnθ] | aštuonioliktas |
| the $19^{th}$ | the nineteenth | [ˌnaɪnˈtiːnθ] | devynioliktas |
| the $20^{th}$ | the twentieth | [ˈtwentɪəθ] | dvidešimtas |
| the $21^{st}$ | the twenty-first | [ˌtwenti ˈfɜːst] | dvidešimt pirmas |
| the $22^{nd}$ | the twenty-second | [ˌtwenti ˈsekənd] | dvidešimt antras |
| the $23^{rd}$ | the twenty-third | [ˌtwenti ˈθɜːd] | dvidešimt trečias |
| the $24^{th}$ | the twenty-fourth | [ˌtwenti ˈfɔːθ] | dvidešimt ketvirtas |

| the 25th | the twenty-fifth | [ˌtwenti ˈfɪfθ] | dvidešimt penktas |
|---|---|---|---|
| the 26th | the twenty-sixth | [ˌtwenti ˈsɪksθ] | dvidešimt šeštas |
| the 27th | the twenty-seventh | [ˌtwenti ˈsevnθ] | dvidešimt septintas |
| the 28th | the twenty-eighth | [ˌtwenti ˈeɪtθ] | dvidešimt aštuntas |
| the 29th | the twenty-ninth | [ˌtwenti ˈnaɪnθ] | dvidešimt devintas |
| the 30th | the thirtieth | [ˈθɜːtɪəθ] | trisdešimtas |
| the 40th | the fortieth | [ˈfɔːtɪəθ] | keturiasdešimtas |
| the 50th | the fiftieth | [ˈfɪftɪəθ] | penkiasdešimtas |
| the 60th | the sixtieth | [ˈsɪkstɪəθ] | šešiasdešimtas |
| the 70th | the seventieth | [ˈsevntɪəθ] | septyniasdešimtas |
| the 80th | the eightieth | [ˈeɪtɪəθ] | aštuoniasdešimtas |
| the 90th | the ninetieth | [ˈnaɪntɪəθ] | devyniasdešimtas |
| the 100th | the hundredth | [ˈhʌndrədθ] | šimtasis |

## NETAISYKLINGŲJŲ VEIKSMAŽODŽIŲ LENTELĖ

1. Kalbėdami esamuoju laiku, vartojame I veiksmažodžių formą.

2. Kalbėdami būtuoju laiku, vartojame II veiksmažodžių formą.

3. Kalbėdami apie atliktus darbus, vartojame III veiksmažodžių formą.

| I FORMA | | | II FORMA | | | III FORMA | |
|---|---|---|---|---|---|---|---|
| awake | [əˈweɪk] | pabusti | awoke | [əˈwəʊk] | pabudo | awoken | [əˈwəʊkn] |
| be | [biː] | būti | was/were | [wɒz], [wɜː] | buvo | been | [biːn] |
| am | [æm], [əm] | esu | was | [wɒz] | buvau | been | [biːn] |
| is | [ɪz] | yra (jis, ji) | was | [wɒz] | buvo (jis, ji) | been | [biːn] |
| are | [ɑː] | yra | were | [wɜː] | buvo | been | [biːn] |
| become | [bɪˈkʌm] | tapti | became | [bɪˈkeɪm] | tapo | become | [bɪˈkʌm] |
| begin | [bɪˈgɪn] | pradėti | began | [bɪˈgæn] | pradėjo | begun | [bɪˈgʌn] |
| bend | [bend] | lenkti | bent | [bent] | lenkė | bent | [bent] |
| bite | [baɪt] | kąsti | bit | [bɪt] | kando | bitten | [ˈbɪtn] |
| blow | [bləʊ] | pūsti | blew | [bluː] | pūtė | blown | [bləʊn] |
| break | [breɪk] | laužyti | broke | [brəʊk] | laužė | broken | [ˈbrəʊkn] |
| bring | [brɪŋ] | atnešti | brought | [brɔːt] | atnešė | brought | [brɔːt] |
| build | [bɪld] | statyti | built | [bɪlt] | statė | built | [bɪlt] |
| burn | [bɜːn] | degti | burnt | [bɜːnt] | degė | burnt | [bɜːnt] |
| buy | [baɪ] | pirkti | bought | [bɔːt] | pirko | bought | [bɔːt] |
| catch | [kætʃ] | gaudyti | caught | [kɔːt] | gaudė | caught | [kɔːt] |
| choose | [tʃuːz] | pasirinkti | chose | [tʃəʊz] | pasirinko | chosen | [ˈtʃəʊzn] |
| come | [kʌm] | ateiti | came | [keɪm] | atėjo | come | [kʌm] |

| I FORMA | | | II FORMA | | | III FORMA | |
|---|---|---|---|---|---|---|---|
| cost | [kɒst] | kainuoti | cost | [kɒst] | kainavo | cost | [kɒst] |
| creep | [kri:p] | šliaužti | crept | [krept] | šliaužė | crept | [krept] |
| cut | [kʌt] | pjauti | cut | [kʌt] | pjovė | cut | [kʌt] |
| dig | [dɪg] | kasti | dug | [dʌg] | kasė | dug | [dʌg] |
| do | [du:] | daryti | did | [dɪd] | darė | done | [dʌn] |
| draw | [drɔ:] | piešti | drew | [dru:] | piešė | drawn | [drɔ:n] |
| dream | [dri:m] | sapnuoti | dreamt | [dremt] | sapnavo | dreamt | [dremt] |
| | | | dreamed | [dri:md] | sapnavo | dreamed | [dri:md] |
| drive | [draɪv] | vairuoti | drove | [drəʊv] | vairavo | driven | [ˈdrɪvn] |
| drink | [drɪŋk] | gerti | drank | [dræŋk] | gėrė | drunk | [drʌŋk] |
| eat | [i:t] | valgyti | ate | [et] | valgė | eaten | [ˈi:tn] |
| fall | [fɔ:l] | kristi | fell | [fel] | krito | fallen | [ˈfɔ:ln] |
| feed | [fi:d] | šerti | fed | [fed] | šėrė | fed | [fed] |
| feel | [fi:l] | jausti | felt | [felt] | jautė | felt | [felt] |
| fight | [faɪt] | muštis | fought | [fɔ:t] | mušėsi | fought | [fɔ:t] |
| find | [faɪnd] | rasti | found | [faʊnd] | rado | found | [faʊnd] |
| fly | [flaɪ] | skristi | flew | [flu:] | skrido | flown | [fləʊn] |
| forget | [fəˈget] | pamiršti | forgot | [fəˈg ɒt] | pamiršo | forgotten | [fəˈgɒtn] |
| forgive | [fəˈgɪv] | atleisti | forgave | [fəˈgeɪv] | atleido | forgiven | [fəˈgɪvn] |
| freeze | [fri:z] | šalti | froze | [frəʊz] | šalo | frozen | [ˈfrəʊzn] |
| get | [get] | gauti | got | [gɒt] | gavo | got | [gɒt] |
| give | [gɪv] | duoti | gave | [geɪv] | davė | given | [ˈgɪvn] |

| I FORMA | | | II FORMA | | | III FORMA | |
|---|---|---|---|---|---|---|---|
| go | [gəʊ] | eiti | went | [went] | ėjo | gone | [gɒn] |
| grow | [grəʊ] | augti | grew | [gru:] | augo | grown | [grəʊn] |
| hang | [hæŋ] | kabėti | hung | [hʌŋ] | kabėjo | hung | [hʌŋ] |
| have | [hæv] | turėti | had | [hæd] | turėjo | had | [hæd] |
| hear | [hɪə] | girdėti | heard | [hɜ:d] | girdėjo | heard | [hɜ:d] |
| hide | [haɪd] | slėpti | hid | [hɪd] | slėpė | hidden | ['hɪdn] |
| hit | [hɪt] | suduoti | hit | [hɪt] | sudavė | hit | [hɪt] |
| hold | [həʊld] | laikyti | held | [held] | laikė | held | [held] |
| hurt | [hɜ:t] | sužeisti | hurt | [hɜ:t] | sužeidė | hurt | [hɜ:t] |
| keep | [ki:p] | laikyti(s) | kept | [kept] | laikė(si) | kept | [kept] |
| kneel | [ni:l] | klūpoti | knelt | [nelt] | klūpojo | knelt | [nelt] |
| know | [nəʊ] | žinoti | knew | [nju:] | žinojo | known | [nəʊn] |
| lay | [leɪ] | dėti | laid | [leɪd] | dėjo | laid | [leɪd] |
| lead | [li:d] | vadovauti | led | [led] | vadovavo | led | [led] |
| learn | [lɜ:n] | mokytis | learnt | [lɜ:nt] | mokėsi | learnt | [lɜ:nt] |
| | | | learned | [lɜ:nd] | mokėsi | learned | [lɜ:nd] |
| leave | [li:v] | palikti | left | [left] | paliko | left | [left] |
| lend | [lend] | skolinti | lent | [lent] | skolino | lent | [lent] |
| let | [let] | leisti | let | [let] | leido | let | [let] |
| lie | [laɪ] | gulėti | lay | [leɪ] | gulėjo | lain | [leɪn] |
| lose | [lu:z] | pamesti | lost | [l ɒst] | pametė | lost | [lɒst] |
| make | [meɪk] | gaminti | made | [meɪd] | gamino | made | [meɪd] |

| I FORMA | | | II FORMA | | | III FORMA | |
|---|---|---|---|---|---|---|---|
| mean | [miːn] | reikšti | meant | [ment] | reiškė | meant | [ment] |
| meet | [miːt] | su(si)tikti | met | [met] | su(si)tiko | met | [met] |
| pay | [peɪ] | mokėti | paid | [peɪd] | mokėjo | paid | [peɪd] |
| put | [pʊt] | dėti | put | [pʊt] | dėjo | put | [pʊt] |
| read | [riːd] | skaityti | read | [red] | skaitė | read | [red] |
| ride | [raɪd] | joti; važiuoti | rode | [rəʊd] | jojo; važiavo | ridden | [ˈrɪdn] |
| ring | [rɪŋ] | skambėti | rang | [ræŋ] | skambėjo | rung | [rʌŋ] |
| rise | [raɪz] | kilti | rose | [rəʊz] | kilo | risen | [ˈrɪzn] |
| run | [rʌn] | bėgti | ran | [ræn] | bėgo | run | [rʌn] |
| say | [seɪ] | sakyti | said | [sed] | sakė | said | [sed] |
| see | [siː] | matyti | saw | [sɔː] | matė | seen | [siːn] |
| sell | [sel] | parduoti | sold | [səʊld] | pardavė | sold | [səʊld] |
| send | [send] | siųsti | sent | [sent] | siuntė | sent | [sent] |
| shake | [ʃeɪk] | kratyti | shook | [ʃʊk] | kratė | shaken | [ˈʃeɪkn] |
| shed | [ʃed] | mesti (lapus) | shed | [ʃed] | metė (lapus) | shed | [ʃed] |
| shine | [ʃaɪn] | šviesti | shone | [ʃɒn] | švietė | shone | [ʃɒn] |
| shrink | [ʃrɪŋk] | susitraukti | shrank | [ʃræŋk] | susitraukė | shrunk | [ʃrʌŋk] |
| shut | [ʃʌt] | užversti | shut | [ʃʌt] | užvertė | shut | [ʃʌt] |
| sing | [sɪŋ] | dainuoti | sang | [sæŋ] | dainavo | sung | [sʌŋ] |
| sink | [sɪŋk] | skęsti | sank | [sæŋk] | skendo | sunk | [sʌŋk] |

| I FORMA | | | II FORMA | | | III FORMA | |
|---|---|---|---|---|---|---|---|
| sit | [sɪt] | sėdėti | sat | [sæt] | sėdėjo | sat | [sæt] |
| sleep | [sli:p] | miegoti | slept | [slept] | miegojo | slept | [slept] |
| speak | [spi:k] | kalbėti | spoke | [spəʊk] | kalbėjo | spoken | [ˈspəʊkn] |
| spell | [spel] | sakyti paraidžiui | spelt | [spelt] | sakė paraidžiui | spelt | [spelt] |
| spend | [spend] | leisti | spent | [spent] | leido | spent | [spent] |
| stand | [stænd] | stovėti | stood | [stʊd] | stovėjo | stood | [stʊd] |
| steal | [sti:l] | vogti | stole | [stəʊl] | vogė | stolen | [ˈstəʊln] |
| sting | [stɪŋ] | (į)gelti | stung | [stʌŋ] | (į)gėlė | stung | [stʌŋ] |
| sweep | [swi:p] | šluoti | swept | [swept] | šlavė | swept | [swept] |
| swim | [swɪm] | plaukti | swam | [swæm] | plaukė | swum | [swʌm] |
| swing | [swɪŋ] | suptis | swung | [swʌŋ] | suposi | swung | [swʌŋ] |
| take | [teɪk] | imti | took | [tʊk] | ėmė | taken | [ˈteɪkn] |
| teach | [ti:tʃ] | mokyti | taught | [tɔ:t] | mokė | taught | [tɔ:t] |
| tear | [teə] | plėšyti | tore | [tɔ:] | plėšė | torn | [tɔ:n] |
| tell | [tel] | pasakoti | told | [təʊld] | pasakojo | told | [təʊld] |
| think | [θɪŋk] | galvoti | thought | [θɔ:t] | galvojo | thought | [θɔ:t] |
| throw | [θrəʊ] | mesti | threw | [θru:] | metė | thrown | [θrəʊn] |
| understand | [ˌʌndəˈstænd] | suprasti | understood | [ˌʌndəˈstʊd] | suprato | understood | [ˌʌndəˈstʊd] |
| wake | [weɪk] | pabusti | woke | [wəʊk] | pabudo | woken | [ˈwəʊkn] |
| wear | [weə] | vilkėti | wore | [wɔ:] | vilkėjo | worn | [wɔ:n] |
| win | [wɪn] | laimėti | won | [wʌn] | laimėjo | won | [wʌn] |
| write | [raɪt] | rašyti | wrote | [rəʊt] | rašė | written | [ˈrɪtn] |

## Vardų sąrašas

| | | |
|---|---|---|
| Alice | [ˈælɪs] | Alisa |
| Ann | [æn] | Ana |
| Beauty | [ˈbjuːti] | Gražuolė |
| Ben | [ben] | Benas |
| Betty | [ˈbeti] | Beti |
| Bill | [bɪl] | Bilas |
| Bingo | [ˈbɪngəʊ] | Bingas (*šuo*) |
| Blackie | [ˈblækɪ] | Juodis (*gyvūnas*) |
| Boris | [ˈbɒrɪs] | Borisas |
| Caroline | [ˈkærəlaɪn] | Karolina |
| Christ | [kraɪst] | Kristus |
| Cinderella | [ˌsɪndəˈrelə] | Pelenė (*personažas*) |
| Dan | [dæn] | Danas |
| Dick | [dɪk] | Dikas |
| Dot | [dɒt] | Dotė |
| Eve | [iːv] | Ieva |
| Fred | [fred] | Fredis |
| Jane | [dʒeɪn] | Džeinė |
| Jesus | [ˈdʒiːzəs] | Jėzus |
| Jesus Christ | [ˌdʒiːzəs ˈkraɪst] | Jėzus Kristus |
| John | [dʒɒn] | Jonas, Džonas |
| Kate | [keɪt] | Keitė |
| Ken | [ken] | Kenas |
| Lolly | [ˈlɒli] | Lolita |
| Mark | [mɑːk] | Markas |
| Mary | [ˈmeəri] | Marija, Merė |
| Meg | [meg] | Megė |
| Mike | [maɪk] | Maikas |
| Neptune | [ˈneptjuːn] | Neptūnas |
| Nick | [nɪk] | Nikas |
| Nutcracker | [ˈnʌtkrækə] | Spragtukas (*personažas*) |
| Pete | [piːt] | Pitas |
| Red Riding Hood | [red ˈraɪdɪŋ hʊd] | Raudonkepuraitė (*personažas*) |
| Rose | [rəʊz] | Rožė |
| Spot | [spɒt] | Spotas (*šuo*) |
| Steve | [stiːv] | Stivas |
| Ted | [ted] | Tedas |
| Thumbellina | [ˌθʌmbəˈliːnə] | Coliukė (*personažas*) |
| Tim | [tɪm] | Timas |
| Tom | [tɒm] | Tomas |

# DAŽNIAUSIAI SUTINKAMI ANGLIŠKI SUTRUMPINIMAI

| | | |
|---|---|---|
| ABC | [ˌeɪbiːˈsiː] | abėcėlė |
| aren't | [ɑːnt] | are not |
| can't | [kɑːnt] | cannot |
| CD | [ˌsiːˈdiː] | kompaktinis diskas |
| couldn't | [ˈkʊdnt] | could not |
| didn't | [ˈdɪdnt] | did not |
| doesn't | [ˈdʌznt] | does not |
| don't | [dəʊnt] | do not |
| hadn't | [ˈhædnt] | had not |
| hasn't | [ˈhæznt] | has not |
| haven't | [ˈhævnt] | have not |
| he'd | [hiːd] | he had/ he would |
| he'll | [hiːl] | he will |
| he's | [hiːz] | he is/ he has |
| I'd | [aɪd] | I had/ I would |
| I'll | [aɪl] | I will |
| I'm | [aɪm] | I am |
| I've | [aɪv] | I have |
| isn't | [ˈɪznt] | is not |
| it'll | [ˈɪtl] | it will |
| it's | [ɪts] | it is/it has |
| mustn't | [ˈmʌsnt] | must not |
| needn't | [ˈniːdnt] | need not |
| she'd | [ʃiːd] | she had/ she would |
| she'll | [ʃiːl] | she will |
| she's | [ʃiːz] | she is/ she has |
| shouldn't | [ˈʃʊdnt] | should not |
| that's | [ðæts] | that is |
| they'd | [ðeɪd] | they had |
| they'll | [ðeɪl] | they will |
| they're | [ðeɪə] | they are |
| they've | [ðeɪv] | they have |
| wasn't | [ˈwɒznt] | was not |
| we'd | [wiːd] | we had/ we would |
| we'll | [wiːl] | we will |
| we're | [wɪə] | we are |
| we've | [wiːv] | we have |
| weren't | [wɜːnt] | were not |
| what's | [w ɒts] | what is? |
| who's | [huːz] | who is/ who has? |
| where's | [weəz] | where is? |
| won't | [wəʊnt] | will not |
| wouldn't | [ˈwʊdnt] | would not |
| you'd | [juːd] | you had/ you would |
| you'll | [juːl] | you will |
| you're | [jʊə] | you are |
| you've | [juːv] | you have |

| | | | |
|---|---|---|---|
| boy's<br>girl's | [bɒɪz]<br>[gɜːlz] | berniuko<br>mergaitės | (savybinio linksnio vienaskaitos forma sudaroma prie bendrojo linksnio vienaskaitos formos priduriant -'s) |
| boys'<br>girls' | [bɒɪz]<br>[gɜːlz] | berniukų<br>mergaičių | (savybinio linksnio daugiskaitos forma sutampa su bendrojo linksnio daugiskaitos forma, tik pridėjus apostrofą -') |
| baker's<br>chemist's | ['beɪkəz]<br>['kemɪsts] | duonos parduotuvė<br>vaistinė | (parduotuvių pavadinimai žymimi su -'s) |
| Mr | ['mɪstə] | ponas | |
| Mrs | ['mɪsɪz] | ponia | |
| Miss | [mɪs] | panelė | |
| Ms | [mɪz] | ponia arba panelė | |
| a.m. | [ˌæntɪ me'rɪdɪəm] ante meridiem (*lot.*) priešpiet | | |
| p.m. | [ˌpəʊst me'rɪdɪəm] post meridiem (*lot.*) popiet | | |
| BC | [bɪ'fɔː ˌkraɪst] before Christ — prieš mūsų erą | | |
| UK | [juː'naɪtɪd ˌkɪŋdəm]<br>United Kingdom — Jungtinė Karalystė | | |
| USA | [ˌjuː es 'eɪ]<br>United States of America — JAV | | |
| & | [ənd] | and | |

## Lietuviški sutrumpinimai

*amer.* — amerikanizmas
*bot.* — botanika
*būs. l.* — būsimasis laikas
*būt. l.* — būtasis laikas
*daiktav.* — daiktavardis
*dgs.* — daugiskaita
*es. l.* — esamasis laikas
*liep.* — liepimas
*lot.* — lotynų kalba
*mat.* — matematika
*neig.* — neigiamasis
*neskaič.* — neskaičiuotinis
*pagalb.* — pagalbinis
*sak.* — sakinys
*skaič.* — skaičiuotinis
*šnek.* — šnekamosios kalbos žodis
*teig.* — teigiamas
*veiksm.* — veiksmažodis
*vns.* — vienaskaita

# ANGLŲ KALBOS ABĖCĖLĖ

Žodyne angliški žodžiai išdėstyti abėcėlės tvarka. Siekiant palengvinti veiksmažodžių (tiek taisyklingų, tiek ir netaisyklingų) būtojo laiko formos paiešką, ši forma yra spausdinama su ✿ ženkliuku.

Abėcėline tvarka surašytos paraštės, išryškinančios raidę, kuria prasideda žodžiai, esantys tame puslapyje, taip pat palengvins ir pagreitins reikiamo žodžio paiešką.

## The ABC

| | | | |
|---|---|---|---|
| A a | [eɪ] | N n | [en] |
| B b | [biː] | O o | [əʊ] |
| C c | [siː] | P p | [piː] |
| D d | [diː] | Q q | [kjuː] |
| E e | [iː] | R r | [ɑː] |
| F f | [ef] | S s | [es] |
| G g | [dʒiː] | T t | [tiː] |
| H h | [eɪtʃ] | U u | [juː] |
| I i | [aɪ] | V v | [viː] |
| J j | [dʒeɪ] | W w | [ˈdʌbljuː] |
| K k | [keɪ] | X x | [eks] |
| L l | [el] | Y y | [waɪ] |
| M m | [em] | Z z | [zed] |

## Leksikografiniai šaltiniai


1. Hornby A. S. Oxford Advanced Learner's Dictionary of Current English. (5th edition). — Oxford UP, 1999.
2. Jones D. English Pronouncing Dictionary (5th edition). — Cambridge, 1991.
3. Kernerman Semi-Bilingual Dictionaries. English Distionary for Speakers of Lithuanian. (Anglų kalbos mokomasis žodynas). — V., 1997.
4. Kernerman Semi-Bilingual Dictionaries. English-Lithuanian Learner's Dictionary for beginners. — V., 1999.
5. Longman New Junior English Dictionary. Longman group UK. Limited, 1993.
6. Piesarskas B. The English-Lithuanian Dictionary. (Didysis anglų-lietuvių kalbų žodynas). — V., 1999.
7. Piesarskas B. Mokomasis lietuvių-anglų kalbų žodynas. — K., 1992.
8. Piesarskas B., Svecevičius B. Lithuanian-English Dictionary. (Lietuvių-anglų kalbų žodynas) —V., 1997.
9. Scarry R. Mano žodynas (lietuvių ir anglų kalba). Best World Book ever (the 4th printing). —Chicago, 1992.
10. Stoškienė R., Timofejevienė A. Young Learner's Dictionary (Anglų-lietuvių lietuvių-anglų kalbų pradinukų žodynas). — K., 1999.
11. Svecevičius B. English-Lithuanian dictionary. (Anglų-lietuvių kalbų žodynas). — V., 1998.
12. The English Illustrated Dictionary. Award publication (2d edition) revised by Dorrothy Eagle. — London, 1996.
13. The Wordsworth Concise English Dictionary Ed G. W. Davidson, et. al.. Wordsworth Editions Ltd, 1994.
14. Wells J. C. Pronunciation Dictionary. Longman Group UK Limited, 1996.

A a
B b
C c
D d
E e
F f
G g
H h
I i
J j
K k
L l
M m
N n
O o
P p
Q q
R r
S s
T t
U u
V v
W w
X x
Y y
Z z

# ANGLŲ–LIETUVIŲ

## A a

a, an [eɪ], [ə], [ən] nežymimasis artikelis
a.m. [ˌæntɪ məˈrɪdɪəm] priešpiet *lot.*
ABC [ˌeɪ biː ˈsiː] abėcėlė
about [əˈbaʊt] apie
above [əˈbʌv] virš
absent [ˈæbsənt] nesantis
absurd [əbˈsɜːd] absurdiškas
accident [ˈæksɪdənt] atsitikimas
acorn [ˈeɪkɔːn] gilė
acrobat [ˈækrəbæt] akrobatas
across [əˈkrɒs] per, skersai
act [ækt] veikti
✿ acted [ˈæktɪd] veikė
action [ˈækʃn] veiksmas
actor [ˈæktə] aktorius
add [æd] pridėti
✿ added [ˈædɪd] pridėjo
address [əˈdres] adresas
adjective [ˈædʒɪktɪv] būdvardis
admire [ədˈmaɪə] gėrėtis
✿ admired [ədˈmaɪəd] gėrėjosi
adventure [ədˈventʃə] nuotykis
adverb [ˈædvɜːb] prieveiksmis
advertisement [ədˈvɜːtɪsmənt] skelbimas
advice [ədˈvaɪs] patarimas
aerial [ˈeərɪəl] aviacinis; antena
aeroplane [ˈeərəpleɪn] lėktuvas
afraid [əˈfreɪd] išsigandęs
Africa [ˈæfrɪkə] Afrika
after [ˈɑːftə] po, paskui
afternoon [ˌɑːftəˈnuːn] popietė

# KALBŲ ŽODYNAS

| | | |
|---|---|---|
| again | [ə'gen] | vėl |
| against | [ə'geɪnst] | prieš |
| age | [eɪdʒ] | amžius |
| ago | [ə'gəʊ] | prieš (*praeityje*) |
| agree | [ə'griː] | sutarti, pritarti |
| ✿ agreed | [ə'griːd] | sutarė, pritarė |
| air | [eə] | oras |
| airport | ['eəpɔːt] | oro uostas |
| alarm-clock | [ə'lɑːmklɒk] | žadintuvas |
| albatross | ['ælbətrɒs] | albatrosas |
| album | ['ælbəm] | albumas |
| alder | ['ɔːldə] | alksnis |
| alive | [ə'laɪv] | gyvas |
| all | [ɔːl] | visi, visos |
| all-year-round | [ˌɔːl jɪə 'raʊnd] | visus metus |
| all right | [ˌɔːl 'raɪt] | viskas gerai |
| all the rest | [ˌɔːl ðə 'rest] | visi kiti, likusieji |
| alligator | ['ælɪgeɪtə] | aligatorius |
| allow | [ə'laʊ] | leisti, sudaryti sąlygas |
| ✿ allowed | [ə'laʊd] | leido, sudarė sąlygas |
| alone | [ə'ləʊn] | vienas pats |
| along | [ə'lɒŋ] | išilgai, tolyn |
| aloud | [ə'laʊd] | garsiai |
| alphabet | ['ælfəbet] | abėcėlė |
| also | ['ɔːlsəʊ] | taip pat |
| always | ['ɔːlweɪz] | visada |
| am | [æm], [əm] | esu |
| amazing | [ə'meɪzɪŋ] | stulbinantis |
| amber | ['æmbə] | gintaras |
| America | [ə'merɪkə] | Amerika |
| American | [ə'merɪkən] | amerikietis; amerikietiškas |
| amphibian | [æm'fɪbiən] | amfibija |

| | | |
|---|---|---|
| ancient | [ˈeɪnʃənt] | senovinis |
| and | [ənd] | ir |
| angry | [ˈæŋgri] | piktas |
| animal | [ˈænɪml] | gyvūnas |
| ankle | [ˈæŋkl] | kulkšnis |
| annual | [ˈænjʊəl] | kasmetinis |
| another | [əˈnʌðə] | kitas (*dar vienas*) |
| answer | [ˈɑːnsə] | atsakymas |
| answer | [ˈɑːnsə] | atsakyti |
| ✿ answered | [ˈɑːnsəd] | atsakė |
| ant | [ænt] | skruzdėlė |
| Antarctica | [ænˈtɑːktɪkə] | Antarktida |
| antelope | [ˈæntɪləʊp] | antilopė |
| antenna | [ænˈtenə] | antena |
| any | [ˈeni] | bet kuris, (*klausiant; neig. sak.*) |
| anybody | [ˈenibədi] | kas nors (*apie žmogų*) |
| anyone | [ˈeniwʌn] | bet kas, kas nors (*apie žmogų*) |
| anything | [ˈeniθɪŋ] | bet kas, kas nors (*apie daiktą*) |
| anyway | [ˈeniweɪ] | kad ir kaip būtų; vis tiek |
| anywhere | [ˈeniweə] | bet kur |
| apartment | [əˈpɑːtmənt] | butas (*su baldais*) *amer.* |
| appear | [əˈpɪə] | pasirodyti |
| ✿ appeared | [əˈpɪəd] | pasirodė |
| apple | [ˈæpl] | obuolys |
| apple pie | [ˈæpl paɪ] | obuolių pyragas |
| apple-tree | [ˈæpltriː] | obelis |
| apricot | [ˈeɪprɪkət] | abrikosas |
| April | [ˈeɪprəl] | balandis (*mėnuo*) |
| apron | [ˈeɪprən] | prijuostė |
| Arabia | [əˈreɪbɪə] | Arabija |
| Arabian | [əˈreɪbɪən] | arabas; arabų kalba; arabiškas |
| architect | [ˈɑːkɪtekt] | architektas |

| | | |
|---|---|---|
| are | [ɑː], [ə] | esi, esate, yra, esame |
| ✿ were | [wɜː], [weə] | buvo, buvome, buvote |
| aren't | [ɑːnt] | nesi, nesate, nėra, nesame |
| ✿ weren't | [wɜːnt], [weənt] | nebuvo, nebuvome, nebuvote |
| arithmetic | [ə'rɪθmətɪk] | aritmetika |
| Ark | [ɑːk] | Arka (*Nojaus laivas*) |
| arm | [ɑːm] | ranka (*nuo plaštakos iki peties*) |
| armchair | ['ɑːmtʃeə] | fotelis |
| army | ['ɑːmi] | armija |
| around | [ə'raʊnd] | aplink |
| arrest | [ə'rest] | suimti |
| ✿ arrested | [ə'restɪd] | suėmė |
| arrival | [ə'raɪvl] | atvykimas |
| arrive | [ə'raɪv] | atvykti |
| ✿ arrived | [ə'raɪvd] | atvyko |
| arrow | ['ærəʊ] | strėlė |
| art | [ɑːt] | dailė, menas; dailės pamoka |
| article | ['ɑːtɪkl] | straipsnis |
| artist | ['ɑːtɪst] | dailininkas |
| as | [æz], [əz] | kaip |
| as for | ['æz fə] | kas dėl |
| ash | [æʃ] | pelenai |
| ashore | [ə'ʃɔː] | ant kranto |
| Asia | ['eɪʃə] | Azija |
| ask | [ɑːsk] | klausti |
| ✿ asked | [ɑːskt] | klausė |
| asleep | [ə'sliːp] | miegantis |
| assistant | [ə'sɪstənt] | padėjėjas |
| aster | ['æstə] | astra *bot.* |
| astronaut | ['æstrənɔːt] | astronautas |
| astronomer | [ə'strɒnəmə] | astronomas |
| astronomy | [ə'strɒnəmi] | astronomija |

Aa Bb Cc Dd Ee Ff Gg Hh Ii Jj Kk Ll Mm Nn Oo Pp Qq Rr Ss Tt Uu Vv Ww Xx Yy Zz

| | | |
|---|---|---|
| at | [ət] | prie |
| at last | [ət ˈlɑːst] | pagaliau |
| at night | [ət ˈnaɪt] | naktį |
| at noon | [ət ˈnuːn] | per pietus |
| at once | [ət ˈwʌns] | iš karto |
| at the back of | [ət ðə ˈbæk əv] | už nugaros |
| ✿ ate | | valgė (*būt. l.*) *žr.* e a t |
| Athens | [ˈæθɪnz] | Atėnai |
| athlete | [ˈæθliːt] | atletas, sportininkas |
| athletics | [æθˈletɪks] | atletika |
| Atlantic | [ətˈlæntɪk] | Atlantas |
| attach | [əˈtætʃ] | pritvirtinti |
| ✿ attached | [əˈtætʃt] | pritvirtino |
| audience | [ˈɔːdɪəns] | publika, žiūrovai |
| auditorium | [ˌɔːdɪˈtɔːrɪəm] | žiūrovų salė |
| August | [ˈɔːgəst] | rugpjūtis |
| aunt | [ɑːnt] | teta |
| Australia | [ɒˈstreɪlɪə] | Australija |
| autograph | [ˈɔːtəgrɑːf] | autografas |
| autumn | [ˈɔːtəm] | ruduo |
| awake | [əˈweɪk] | pabusti |
| ✿ awoke | [əˈwəʊk] | pabudo |
| away | [əˈwei] | šalin |
| awful | [ˈɔːfəl] | baisus |
| axe | [æks] | kirvis |

## B b

| | | |
|---|---|---|
| baby | [ˈbeɪbi] | kūdikis |
| back | [bæk] | atvirkščioji pusė, nugara |
| backbone | [ˈbækbəʊn] | nugarkaulis |
| backwards | [ˈbækwədz] | atgal |
| bacon | [ˈbeɪkən] | lašiniai |
| bad | [bæd] | blogas |
| badge | [bædʒ] | ženkliukas |

| | | |
|---|---|---|
| badly | [ˈbædli] | blogai |
| badminton | [ˈbædmɪntən] | badmintonas |
| bad-tempered | [ˌbædˈtempəd] | piktas, irzlus |
| bag | [bæg] | krepšys |
| bake | [beɪk] | kepti (*duoną*) |
| ✿ baked | [beɪkt] | kepė (*duoną*) |
| baker | [ˈbeɪkə] | kepėjas |
| baker's | [ˈbeɪkəz] | duonos parduotuvė |
| bakery | [ˈbeɪkəri] | kepykla |
| balcony | [ˈbælkəni] | balkonas |
| bald | [bɔːld] | plikas |
| ball | [bɔːl] | kamuolys |
| ballerina | [ˌbæləˈriːnə] | balerina |
| ballet | [ˈbæleɪ] | baletas |
| balloon | [bəˈluːn] | balionas |
| ballpoint pen | [ˈbɔːlpɒɪnt ˌpen] | tušinukas |
| bamboo | [bæmˈbuː] | bambukas |
| banana | [bəˈnɑːnə] | bananas |
| band | [bænd] | orkestras |
| bandage | [ˈbændɪdʒ] | tvarstis |
| bang | [bæŋ] | trenksmas |
| bang | [bæŋ] | trenktis |
| ✿ banged | [bæŋd] | trenkėsi |
| bank | [bæŋk] | bankas |
| bar | [bɑː] | baras; plytelė (*šokolado*) |
| barbecue | [ˈbɑːbɪkjuː] | kepta mėsa ant grotelių/iešmo |
| barber | [ˈbɑːbə] | kirpėjas (*vyrų*) |
| barber's | [ˈbɑːbəz] | vyrų kirpykla |
| bark | [bɑːk] | loti |
| ✿ barked | [bɑːkt] | lojo |
| baseball | [ˈbeɪsbɔːl] | beisbolas |
| basement | [ˈbeɪsmənt] | rūsys |
| basin | [ˈbeɪsn] | dubuo |
| basket | [ˈbɑːskɪt] | krepšys |

| | | |
|---|---|---|
| basketball | ['bɑːskɪtbɔːl] | krepšinis |
| bat | [bæt] | šikšnosparnis; beisbolo lazda |
| bath | [bɑːθ] | vonia |
| bathing-suit | ['beɪðɪŋ suːt] | maudymosi kostiumas |
| bathroom | ['bɑːθrʊm] | vonia (*kambarys*) |
| bathtub | ['bɑːθtʌb] | vonia *amer.* |
| battle | ['bætl] | mūšis |
| BC | [ˌbɜːθ sə'tɪfɪkət] | gimimo liudijimas |
| BC | [bɪˌfɔː 'kraɪst] | prieš mūsų erą |
| be | [biː] | būti |
| be ill | [ˌbiː 'ɪl] | sirgti |
| Be quiet! | [ˌbiː 'kwaɪət] | Nurimk! |
| beach | [biːtʃ] | pliažas, paplūdimys |
| beak | [biːk] | snapas |
| bean | [biːn] | pupa |
| bear | [beə] | meška |
| beard | [bɪəd] | barzda |
| beautiful | ['bjuːtɪfəl] | gražus, nuostabus |
| beauty | ['bjuːti] | grožis |
| beaver | ['biːvə] | bebras |
| because | [bɪ'kɒz] | nes, kadangi |
| become | [bɪ'kʌm] | tapti |
| ✿ became | [bɪ'keɪm] | tapo |
| bed | [bed] | lova |
| bedroom | ['bedrʊm] | miegamasis |
| bee | [biː] | bitė |
| beef | [biːf] | jautiena |
| beet | [biːt] | burokas |
| beetle | ['biːtl] | vabalas |
| before | [bɪ'fɔː] | prieš, anksčiau |
| beg | [beg] | maldauti; prašyti išmaldos |
| ✿ begged | [begd] | maldavo; prašė išmaldos |
| beggar | ['begə] | elgeta |
| begin | [bɪ'gɪn] | pradėti |
| ✿ began | [bɪ'gæn] | pradėjo |

| | | |
|---|---|---|
| beginning | [bɪˈgɪnɪŋ] | pradžia |
| behind | [bɪˈhaɪnd] | už, užpakalyje |
| belief | [bɪˈliːf] | tikėjimas |
| believe | [bɪˈliːv] | tikėti |
| ✿ believed | [bɪˈliːvd] | tikėjo |
| bell | [bel] | varpelis, skambutis |
| belong | [bɪˈlɒŋ] | priklausyti |
| ✿ belonged | [bɪˈlɒŋd] | priklausė |
| below | [bɪˈləʊ] | apačioje, žemiau |
| belt | [belt] | diržas |
| bench | [bentʃ] | suoliukas |
| bend | [bend] | lenkti |
| ✿ bent | [bent] | lenkė |
| beneath | [bɪˈniːθ] | žemiau (*po*) |
| berry | [ˈberi] | uoga |
| beside | [bɪˈsaɪd] | šalia |
| best | [best] | geriausias |
| better | [ˈbetə] | geresnis, geriau |
| between | [bɪˈtwiːn] | tarp |
| bicycle | [ˈbaɪsɪkl] | dviratis |
| big | [bɪg] | didelis |
| bike | [baɪk] | dviratis *šnek.* |
| billiard | [ˈbɪlɪəd] | biliardas |
| billion | [ˈbɪljən] | milijardas |
| bin | [bɪn] | šiukšlių dėžė |
| binoculars | [bɪˈnɒkjʊləz] | žiūronai |
| birch | [bɜːtʃ] | beržas |
| bird | [bɜːd] | paukštis |
| birthday | [ˈbɜːθdeɪ], [ˈbɜːθdi] | gimimo diena |
| birthplace | [ˈbɜːθpleɪs] | gimimo vieta |
| biscuit | [ˈbɪskɪt] | sausainis, biskvitas |
| bite | [baɪt] | kąsti |
| ✿ bit | [bɪt] | kando |
| bitter | [ˈbɪtə] | kartus |
| black | [blæk] | juodas |

Aa **Bb** Cc Dd Ee Ff Gg Hh Ii Jj Kk Ll Mm Nn Oo Pp Qq Rr Ss Tt Uu Vv Ww Xx Yy Zz

| | | |
|---|---|---|
| blackboard | ['blækbɔːd] | lenta (*klasės*) |
| blank | [blæŋk] | tuščias, neprirašytas |
| blanket | ['blæŋkɪt] | antklodė |
| bless | [bles] | laiminti |
| ✿ blessed | [blest] | laimino |
| Bless you! | ['bles ˌjuː] | Į sveikatą! (*nusičiaudėjus*) |
| blind | [blaɪnd] | aklas |
| block | [blɒk] | kaladėlė |
| blond | [blɒnd] | šviesiaplaukis, -ė |
| blood | [blʌd] | kraujas |
| blossom | ['blɒsəm] | žydėjimas |
| blouse | [blaʊz] | palaidinė |
| blow | [bləʊ] | pūsti |
| ✿ blew | [bluː] | pūtė |
| blue | [bluː] | mėlynas |
| blueberry | ['bluːberi] | mėlynė (*uoga*) |
| board | [bɔːd] | lenta |
| boast | [bəʊst] | girtis |
| ✿ boasted | ['bəʊstɪd] | gyrėsi |
| boat | [bəʊt] | valtis |
| body | ['bɒdi] | kūnas |
| boil | [bɒɪl] | virti |
| ✿ boiled | [bɒɪld] | virė |
| bold | [bəʊld] | drąsus, įžūlus |
| bone | [bəʊn] | kaulas |
| bonfire | ['bɒnfaɪə] | laužas |
| book | [bʊk] | knyga |
| bookcase | ['bʊkkeɪs] | knygų spinta |
| bookshelf | ['bʊkʃelf] | knygų lentyna |
| bookshop | ['bʊkʃɒp] | knygynas |
| boot | [buːt] | aulinis batas |
| bored | [bɔːd] | nuobodžiaujantis |
| boring | ['bɔːrɪŋ] | nuobodus, įkyrus |
| born | [bɔːn] | gimęs |
| borrow | ['bɒrəʊ] | pasiskolinti |
| ✿ borrowed | ['bɒrəʊd] | pasiskolino |

| | | |
|---|---|---|
| botanical garden | [bəˌtænɪkl ˈɡɑːdn] | botanikos sodas |
| both | [bəʊθ] | abu, abi |
| bottle | [ˈbɒtl] | butelis |
| bottom | [ˈbɒtəm] | apačia, dugnas |
| ✿ bought | | pirko (*būt. l.*) *žr.* buy |
| bow | [bəʊ] | lankas |
| bowl | [bəʊl] | dubenėlis |
| box | [bɒks] | dėžė |
| boxing | [ˈbɒksɪŋ] | boksas |
| boy | [bɒɪ] | berniukas |
| bracelet | [ˈbreɪslət] | apyrankė |
| braces | [ˈbreɪsɪz] | petnešos |
| brain | [breɪn] | smegenys |
| brake | [breɪk] | stabdys |
| branch | [brɑːntʃ] | šaka |
| brave | [breɪv] | drąsus |
| Brazil | [brəˈzɪl] | Brazilija |
| bread | [bred] | duona |
| breadbin | [ˈbredbɪn] | duoninė |
| break | [breɪk] | pertrauka |
| break | [breɪk] | laužyti |
| ✿ broke | [brəʊk] | laužė |
| breakfast | [ˈbrekfəst] | pusryčiai |
| breeze | [briːz] | švelnus vėjelis |
| brick | [brɪk] | plyta |
| bridge | [brɪdʒ] | tiltas |
| bright | [braɪt] | šviesus |
| brilliant | [ˈbrɪlɪənt] | puikus |
| bring | [brɪŋ] | atnešti |
| ✿ brought | [brɔːt] | atnešė |
| Britain | [ˈbrɪtn] | Britanija |
| British | [ˈbrɪtɪʃ] | britaniškas, angliškas |
| broad | [brɔːd] | platus, erdvus |
| broccoli | [ˈbrɒkəli] | brokolis |
| bronze | [brɒnz] | bronzinis |
| brooch | [brəʊtʃ] | sagė |

| broom | [bru:m], [brʊm] | šluota |
|---|---|---|
| brother | ['brʌðə] | brolis |
| ✿ brought | | atnešė (*būt. l.*) *žr.* b r i n g |
| brown | [braʊn] | rudas |
| brush | [brʌʃ] | šepetys, teptukas |
| brush | [brʌʃ] | valyti šepečiu |
| ✿ brushed | [brʌʃt] | valė šepečiu |
| bucket | ['bʌkɪt] | kibiras |
| bud | [bʌd] | pumpuras |
| bug | [bʌg] | vabalas *amer.* |
| bugle | ['bju:gl] | trimitas |
| build | [bɪld] | statyti |
| ✿ built | [bɪlt] | statė |
| builder | ['bɪldə] | statybininkas |
| building | ['bɪldɪŋ] | pastatas |
| bull | [bʊl] | bulius |
| bullet | ['bʊlɪt] | kulka |
| bully | ['bʊli] | chuliganas |
| bun | [bʌn] | bandelė |
| bunch | [bʌntʃ] | puokštė |
| burn | [bɜ:n] | degti |
| ✿ burnt | [bɜ:nt] | degė |
| bury | ['beri] | laidoti |
| ✿ burried | ['berɪd] | laidojo |
| bus | [bʌs] | autobusas |
| bus-driver | ['bʌsdraɪvə] | autobuso vairuotojas |
| bus-stop | ['bʌsstɒp] | autobuso stotelė |
| bush | [bʊʃ] | krūmas |
| businessman | ['bɪznɪsmən] | verslininkas |
| busy | ['bɪzi] | užsiėmęs |
| but | [bʌt] | bet |
| butcher | ['bʊtʃə] | mėsininkas |
| butcher's | ['bʊtʃəz] | mėsinė |
| butler | ['bʌtlə] | liokajus, durininkas |
| butter | ['bʌtə] | sviestas |

| | | |
|---|---|---|
| butterfly | ['bʌtəflaɪ] | drugelis |
| button | ['bʌtn] | saga |
| buzz | [bʌz] | zvimbimas (*telefono*) *šnek.* |
| buy | [baɪ] | pirkti |
| ✿ bought | [bɔːt] | pirko |
| by | [baɪ] | šalia |
| by bus | [baɪ 'bʌs] | autobusu |
| by train | [baɪ 'treɪn] | traukiniu |
| Bye-bye! | [ˌbaɪ 'baɪ] | Iki! (*atsisveikinant*) |

## C c

| | | |
|---|---|---|
| cabbage | ['kæbɪdʒ] | kopūstas |
| cafe | ['kæfeɪ] | kavinė |
| cafeteria | [ˌkæfə'tɪərɪə] | užkandinė (*savitarnos*) |
| cage | [keɪdʒ] | narvas |
| cake | [keɪk] | tortas |
| calculator | ['kælkjʊleɪtə] | skaičiavimo mašina |
| calendar | ['kælɪndə] | kalendorius |
| calf | [kɑːf] | veršiukas; blauzda |
| call | [kɔːl] | vadinti, kviesti |
| ✿ called | [kɔːld] | vadino, kvietė |
| calves | [kɑːvz] | veršiukai; blauzdos |
| ✿ came | | atėjo (*būt. l.*) *žr.* come |
| camel | ['kæml] | kupranugaris |
| camera | ['kæmərə] | fotoaparatas |
| cameraman | ['kæmərəmən] | fotografas |
| camomile | ['kæməmaɪl] | ramunėlė |
| camp | [kæmp] | stovykla |
| can | [kæn], [kən] | galėti, mokėti |
| ✿ could | [kʊd], [kəd] | galėjo, mokėjo |
| can't (cannot) | [kɑːnt] | negalėti, nemokėti |
| ✿ couldn't (could not) | ['kʊdnt] | negalėjo, nemokėjo |

A a B b C c D d E e F f G g H h I i J j K k L l M m N n O o P p Q q R r S s T t U u V v W w X x Y y Z z

| | | |
|---|---|---|
| can't be | [ˈkɑːnt bɪ] | negali būti |
| ✿ couldn't be | [ˈkʊdnt bɪ] | negalėjo būti |
| Canada | [ˈkænədə] | Kanada |
| canary | [kəˈneəri] | kanarėlė |
| candy | [ˈkændi] | ledinukas, saldainis *amer.* |
| candle | [ˈkændl] | žvakė |
| canoe | [kəˈnuː] | baidarė, kanoja |
| canteen | [kænˈtiːn] | valgykla |
| cap | [kæp] | kepurė |
| capital | [ˈkæpɪtl] | sostinė |
| captain | [ˈkæptɪn] | kapitonas |
| car | [kɑː] | automobilis |
| card | [kɑːd] | korta, atvirutė |
| Cardiff | [ˈkɑːdɪf] | Kardifas |
| cardigan | [ˈkɑːdɪgən] | susegamas megztinis |
| care | [keə] | rūpinimasis |
| careful | [ˈkeəfəl] | atsargus |
| careless | [ˈkeələs] | nerūpestingas |
| carnation | [kɑːˈneɪʃn] | gvazdikas *bot.* |
| carnival | [ˈkɑːnɪvl] | karnavalas |
| carol | [ˈkærəl] | Kalėdų giesmė |
| carpet | [ˈkɑːpɪt] | kilimas |
| carrot | [ˈkærət] | morka |
| carry | [ˈkæri] | nešti |
| ✿ carried | [ˈkærɪd] | nešė |
| cart | [kɑːt] | vežimas |
| cartoon | [kɑːˈtuːn] | animacinis filmas |
| case | [keɪs] | dėžutė |
| cassete | [kəˈset] | kasetė |
| cast | [kɑːst] | mesti, sviesti |
| ✿ cast | [kɑːst] | metė, sviedė |
| castle | [ˈkɑːsl] | pilis |
| cat | [kæt] | katė |
| catch | [kætʃ] | gaudyti |

| | | |
|---|---|---|
| ✿ caught | [kɔːt] | gaudė |
| caterpillar | [ˈkætəpɪlə] | vikšras |
| cathedral | [kəˈθiːdrəl] | katedra |
| cauliflower | [ˈkɒlɪflaʊə] | kalafioras, žiedinis kopūstas |
| cave | [keɪv] | urvas, ola |
| CD | [ˌsiːˈdiː] | kompaktinis diskas |
| ceiling | [ˈsiːlɪŋ] | lubos |
| celery | [ˈseləri] | salieras |
| centimetre | [ˈsentɪmiːtə] | centimetras |
| centipede | [ˈsentɪpiːd] | šimtakojis |
| central heating | [ˌsentrəl ˈhiːtɪŋ] | centrinis šildymas |
| centre | [ˈsentə] | centras |
| ceremony | [ˈserəməni] | ceremonija |
| certifacate | [səˈtɪfɪkət] | pažymėjimas |
| chain | [tʃeɪn] | grandinė |
| chair | [tʃeə] | kėdė |
| chalk | [tʃɔːk] | kreida |
| champion | [ˈtʃæmpɪən] | čempionas |
| change | [tʃeɪndʒ] | pasikeitimas |
| change | [tʃeɪndʒ] | keisti |
| ✿ changed | [tʃeɪndʒd] | keitė |
| channel | [ˈtʃænl] | kanalas |
| chap | [tʃæp] | vaikinas *šnek.* |
| chapter | [ˈtʃæptə] | skyrius (*knygos*) |
| charity | [ˈtʃærəti] | labdara |
| charming | [ˈtʃɑːmɪŋ] | žavus, gražus |
| chart | [tʃɑːt] | lentelė, schema |
| chase | [tʃeɪs] | persekioti |
| ✿ chased | [tʃeɪst] | persekiojo |
| chatterbox | [ˈtʃætəbɒks] | plepys |
| cheap | [tʃiːp] | pigus |
| check | [tʃek] | tikrinti |
| ✿ checked | [tʃekt] | tikrino |
| checked | [tʃekt] | languotas (*audinys*) |

Aa Bb **Cc** Dd Ee Ff Gg Hh Ii Jj Kk Ll Mm Nn Oo Pp Qq Rr Ss Tt Uu Vv Ww Xx Yy Zz

| | | |
|---|---|---|
| checkout | ['tʃekaʊt] | kasa |
| cheek | [tʃiːk] | skruostas |
| cheerful | ['tʃɪəfəl] | linksmas, malonus |
| cheese | [tʃiːz] | sūris |
| chemist | ['kemɪst] | vaistininkas |
| cherry | ['tʃeri] | vyšnia |
| chess | [tʃes] | šachmatai |
| chest | [tʃest] | krūtinė |
| chew | [tʃuː] | kramtyti |
| ✿chewed | [tʃuːd] | kramtė |
| chewing-gum | ['tʃuːɪŋgʌm] | kramtomoji guma |
| chick | [tʃɪk] | viščiukas *šnek.*, paukščiukas |
| chicken | ['tʃɪkɪn] | viščiukas |
| chief | [tʃiːf] | vadovas, vadas |
| child | [tʃaɪld] | vaikas |
| children | ['tʃɪldrən] | vaikai |
| chimney | ['tʃɪmni] | kaminas |
| chimpanzee | [ˌtʃɪmpən'ziː] | šimpanzė |
| chin | [tʃɪn] | smakras |
| China | ['tʃaɪnə] | Kinija |
| chip | [tʃɪp] | šukė |
| chips | [tʃɪps] | traškučiai |
| chocolate | ['tʃɒklət] | šokoladas |
| choir | ['kwaɪə] | choras |
| choose | [tʃuːz] | pasirinkti |
| ✿chose | [tʃəʊz] | pasirinko |
| christen | ['krɪsn] | krikštyti |
| ✿christened | ['krɪsnd] | krikštijo |
| Christmas | ['krɪsməs] | Kalėdos |
| Christmas tree | ['krɪsməs triː] | Kalėdų eglutė |
| chrysanthemum | [krɪ'sænθəməm] | chrizantema |
| church | [tʃɜːtʃ] | bažnyčia |
| cinema | ['sɪnəmə] | kino teatras |
| circle | ['sɜːkl] | ratas, apskritimas |

| | | |
|---|---|---|
| circus | ['sɜːkəs] | cirkas |
| city | ['sɪti] | miestas (*didmiestis*) |
| clap | [klæp] | ploti |
| ✿ clapped | [klæpt] | plojo |
| class | [klɑːs] | klasė, skyrius (*mokyklos*); pamoka |
| classmate | ['klɑːsmeɪt] | klasiokas |
| classroom | ['klɑːsrʊm] | klasė (*patalpa*) |
| classwork | ['klɑːswɜːk] | klasės darbas |
| claw | [klɔː] | gyvulio, paukščio nagas |
| clean | [kliːn] | švarus |
| clean | [kliːn] | valyti |
| ✿ cleaned | [kliːnd] | valė |
| cleaner | ['kliːnə] | valytojas |
| clear | [klɪə] | aiškus |
| clever | ['klevə] | protingas |
| click | [klɪk] | spragtelėti |
| ✿ clicked | [klɪkt] | spragtelėjo |
| climb | [klaɪm] | lipti |
| ✿ climbed | [klaɪmd] | lipo |
| clock | [klɒk] | laikrodis |
| close | [kləʊz] | uždaryti |
| ✿ closed | [kləʊzd] | uždarė |
| cloth | [klɒθ] | medžiaga, audeklas |
| clothes | [kləʊðz] | drabužiai |
| clothes-washer | ['kləʊðzwɒʃə] | skalbimo mašina |
| cloud | [klaʊd] | debesis |
| cloudy | ['klaʊdi] | debesuotas |
| clover | ['kləʊvə] | dobilas |
| clown | [klaʊn] | klounas |
| club | [klʌb] | klubas |
| coach | [kəʊtʃ] | karieta; treneris |
| coast | [kəʊst] | pakrantė (*jūros*) |
| coat | [kəʊt] | švarkas, paltas |

A a B b C c D d E e F f G g H h I i J j K k L l M m N n O o P p Q q R r S s T t U u V v W w X x Y y Z z

| | | |
|---|---|---|
| coca-cola | [ˌkəʊkəˈkəʊlə] | koka kola |
| cockerel | [ˈkɒkərəl] | gaidelis |
| cocoa | [ˈkəʊkəʊ] | kakava |
| coconut | [ˈkəʊkənʌt] | kokoso riešutas |
| cobra | [ˈkəʊbrə] | kobra |
| cod | [kɒd] | menkė |
| code | [kəʊd] | kodas |
| coffee | [ˈkɒfi] | kava |
| coffee-table | [ˈkɒfiteɪbl] | kavos stalelis |
| coin | [kɒɪn] | moneta |
| coke | [kəʊk] | kola *šnek.* |
| cold | [kəʊld] | šaltas |
| collar | [ˈkɒlə] | apykaklė |
| collect | [kəˈlekt] | rinkti (*kolekcionuoti*) |
| ✿ collected | [kəˈlektɪd] | rinko (*kolekcionavo*) |
| collection | [kəˈlekʃn] | kolekcija, rinkinys |
| college | [ˈkɒlɪdʒ] | koledžas |
| colour | [ˈkʌlə] | spalva |
| colourful | [ˈkʌləfəl] | spalvingas |
| colt | [kəʊlt] | kumeliukas (*iki 4 m.*) |
| comb | [kəʊm] | šukos |
| comb | [kəʊm] | šukuotis |
| ✿ combed | [kəʊmd] | šukavosi |
| come | [kʌm] | ateiti |
| ✿ came | [keɪm] | atėjo |
| come back | [ˌkʌm ˈbæk] | sugrįžti |
| ✿ came back | [ˌkeɪm ˈbæk] | sugrįžo |
| come in | [ˌkʌm ˈɪn] | užeiti vidun |
| ✿ came in | [ˌkeɪm ˈɪn] | užėjo vidun |
| Come on! | [ˌkʌm ˈɒn] | Nagi! |
| comedy | [ˈkɒmədi] | komedija |
| comfortable | [ˈkʌmfətəbl] | patogus |
| comics | [ˈkɒmɪks] | komiksai |
| company | [ˈkʌmpəni] | kompanija; draugija |

| | | |
|---|---|---|
| compass | [ˈkʌmpəs] | kompasas |
| complete | [kəmˈpliːt] | pabaigti (*iki galo*) |
| ✿ completed | [kəmˈpliːtɪd] | pabaigė (*iki galo*) |
| computer | [kəmˈpjuːtə] | kompiuteris |
| computer game | [kəmˈpjuːtə ˌgeɪm] | kompiuterinis žaidimas |
| computer programmer | [kəmˈpjuːtə ˌprəʊgræmə] | programuotojas |
| concentrate | [ˈkɒnsəntreɪt] | susikaupti |
| ✿ concentrated | [ˈkɒnsəntreɪtɪd] | susikaupė |
| concert | [ˈkɒnsət] | koncertas |
| condition | [kənˈdɪʃn] | sąlyga; padėtis |
| cone | [kəʊn] | kūgis |
| conference | [ˈkɒnfərəns] | konferencija |
| congratulate | [kənˈgrætjʊleɪt] | sveikinti |
| ✿ congratulated | [kənˈgrætjʊleɪtɪd] | sveikino |
| congratulation | [kənˌgrætjʊˈleɪʃn] | sveikinimas |
| connect | [kəˈnekt] | jungti |
| ✿ connected | [kəˈnektɪd] | jungė |
| considerate | [kənˈsɪdərɪt] | dėmesingas |
| consult | [kənˈsʌlt] | konsultuoti |
| ✿ consulted | [kənˈsʌltɪd] | konsultavo |
| content | [kənˈtent] | patenkintas |
| contest | [ˈkɒntəst] | konkursas, varžybos |
| continent | [ˈkɒntɪnənt] | žemynas |
| continue | [kənˈtɪnjuː] | tęsti |
| ✿ continued | [kənˈtɪnjuːd] | tęsė |
| control | [kənˈtrəʊl] | priežiūra, kontrolė |
| conversation | [ˌkɒnvəˈseɪʃn] | pokalbis |
| cook | [kʊk] | virėjas |
| cook | [kʊk] | virti, gaminti valgį |
| ✿ cooked | [kʊkt] | virė, gamino valgį |
| cooker | [ˈkʊkə] | viryklė |
| cookie | [ˈkʊki] | sausainis *amer.* |
| cool | [kuːl] | vėsus |

| | | |
|---|---|---|
| copper | ['kɒpə] | varis |
| copy | ['kɒpi] | kopija |
| copy | ['kɒpi] | kopijuoti |
| ✿ coppied | ['kɒpɪd] | kopijavo |
| coral | ['kɒrəl] | koralas |
| corner | ['kɔːnə] | kampas |
| cornflakes | ['kɔːnfleɪks] | kukurūzų dribsniai |
| cornflower | ['kɔːnflaʊə] | rugiagėlė |
| correct | [kə'rekt] | teisingas (*be klaidų*) |
| correct | [kə'rekt] | taisyti (*klaidas*) |
| ✿ corrected | [kə'rektɪd] | taisė (*klaidas*) |
| correction | [kə'rekʃn] | taisymas |
| corridor | ['kɒrɪdɔː] | koridorius |
| cost | [kɒst] | kainuoti |
| ✿ cost | [kɒst] | kainavo |
| cot | [kɒt] | vaikiška lovelė |
| cottage | ['kɒtɪdʒ] | trobelė |
| cotton | ['kɒtn] | medvilnė |
| ✿ could | | galėjo (*būt. l.*) *žr.* c a n |
| ✿ couldn't | | negalėjo (*būt. l.*) *žr.* c a n't |
| count | [kaʊnt] | grafas |
| count | [kaʊnt] | skaičiuoti |
| ✿ counted | ['kaʊntɪd] | skaičiavo |
| counter | ['kaʊntə] | prekystalis |
| country | ['kʌntri] | šalis |
| course | [kɔːs] | kursas, eiga |
| cousin | ['kʌzn] | pusbrolis, pusseserė |
| cover | ['kʌvə] | viršelis; dangtis |
| cover | ['kʌvə] | uždengti |
| ✿ covered | ['kʌvəd] | uždengė |
| cow | [kaʊ] | karvė |
| cowberry | ['kaʊberi] | bruknė |
| cowboy | ['kaʊbɒɪ] | kaubojus |
| crab | [kræb] | krabas |
| cracker | ['krækə] | krekeris |

| | | |
|---|---|---|
| cradle | ['kreɪdl] | lopšys |
| craftsman | ['krɑːftsmən] | amatininkas |
| crash | [kræʃ] | sudužti |
| ✿ crashed | [kræʃt] | sudužo |
| crawl | [krɔːl] | šliaužti |
| ✿ crawled | [krɔːld] | šliaužė |
| craze | [kreɪz] | manija |
| crazy | ['kreɪzi] | beprotiškas; pamišęs |
| cream | [kriːm] | grietinėlė; kremas |
| creature | ['kriːtʃə] | būtybė |
| creep | [kriːp] | šliaužti |
| ✿ crept | [krept] | šliaužė |
| creeping | ['kriːpɪŋ] | šliaužiantis |
| creepy | ['kriːpi] | šiurpus |
| cricket | ['krɪkɪt] | kriketas |
| crime | [kraɪm] | nusikaltimas |
| criminal | ['krɪmɪnl] | nusikaltėlis |
| crocodile | ['krɒkədaɪl] | krokodilas |
| cross | [krɒs] | kryžius |
| cross | [krɒs] | pereiti |
| ✿ crossed | [krɒst] | perėjo |
| crossing | ['krɒsɪŋ] | perėja |
| crossword | [krɒswɜːd] | kryžiažodis |
| crow | [krəʊ] | varna |
| crowd | [kraʊd] | minia |
| cruel | [krʊəl] | žiaurus, negailestingas |
| crush | [krʌʃ] | smulkinti, grūsti |
| ✿ crushed | [krʌʃt] | smulkino, grūdo |
| cry | [kraɪ] | verkti |
| ✿ cried | [kraɪd] | verkė |
| crystal | ['krɪstl] | kristalas |
| cub | [kʌb] | jaunikl is (*žvėries*) |
| cube | [kjuːb] | kubas |
| cuckoo | ['kʊkuː] | gegutė |
| cucumber | ['kjuːkəmbə] | agurkas |

A a B b C c D d E e F f G g H h I i J j K k L l M m N n O o P p Q q R r S s T t U u V v W w X x Y y Z z

| | | |
|---|---|---|
| cup | [kʌp] | puodelis |
| cupboard | [ˈkʌbəd] | indauja |
| curly | [ˈkɜːli] | garbanotas |
| currant | [ˈkʌrənt] | serbentai |
| curse | [kɜːs] | keiktis |
| ✿ cursed | [kɜːst] | keikėsi |
| curtain | [ˈkɜːtn] | užuolaida |
| cushion | [ˈkʊʃn] | pagalvėlė |
| custom | [ˈkʌstəm] | paprotys |
| customer | [ˈkʌstəmə] | pirkėjas |
| customs | [ˈkʌstəmz] | muitinė |
| cut | [kʌt] | pjauti |
| ✿ cut | [kʌt] | pjovė |

## D d

| | | |
|---|---|---|
| dad | [dæd] | tėtis *šnek.* |
| daddy | [ˈdædi] | tėvelis *šnek.* |
| daffodil | [ˈdæfədɪl] | narcizas *bot.* |
| daisy | [ˈdeɪzi] | saulutė *bot.* |
| damage | [ˈdæmɪdʒ] | nuostolis |
| damage | [ˈdæmɪdʒ] | sugadinti |
| ✿ damaged | [ˈdæmɪdʒd] | sugadino |
| dance | [dɑːns] | šokti |
| ✿ danced | [dɑːnst] | šoko |
| dancer | [ˈdɑːnsə] | šokėjas, -a |
| dandelion | [ˈdændɪlaɪən] | pienė *bot.* |
| danger | [ˈdeɪndʒə] | pavojus |
| dangerous | [ˈdeɪndʒərəs] | pavojingas |
| dare | [deə] | drįsti |
| ✿ dared | [deəd] | drįso |
| dark | [dɑːk] | tamsus |
| date | [deɪt] | data |
| daughter | [ˈdɔːtə] | duktė |

| | | |
|---|---|---|
| day | [deɪ] | diena |
| day off | [ˌdeɪ ˈɒf] | išeiginė diena |
| daylight | [ˈdeɪlaɪt] | dienos šviesa |
| daytime | [ˈdeɪtaɪm] | dienos metas |
| dazzling | [ˈdæzlɪŋ] | akinantis |
| dead | [ded] | miręs |
| dear | [dɪə] | brangus, mielas |
| December | [dɪˈsembə] | gruodis |
| decide | [dɪˈsaɪd] | nuspręsti |
| ✿ decided | [dɪˈsaɪdɪd] | nusprendė |
| decision | [dɪˈsɪʒn] | sprendimas, nutarimas |
| decorate | [ˈdekəreɪt] | puošti |
| ✿ decorated | [ˈdekəreɪtɪd] | puošė |
| deep | [diːp] | gilus |
| deer | [dɪə] | elnias |
| delicious | [dɪˈlɪʃəs] | skanus |
| deliver | [dɪˈlɪvə] | pristatyti |
| ✿ delivered | [dɪˈlɪvəd] | pristatė |
| demonstration | [ˌdemənˈstreɪʃn] | demonstracija |
| dentist | [ˈdentɪst] | dantistas |
| department store | [dɪˈpɑːtmənt ˌstɔː] | universalinė parduotuvė |
| describe | [dɪˈskraɪb] | apibūdinti |
| ✿ described | [dɪˈskraɪbd] | apibūdino |
| description | [dɪˈskrɪpʃn] | aprašymas |
| desert | [ˈdezət] | dykuma |
| desk | [desk] | suolas (*mokykloje*), rašomasis stalas |
| dessert | [dɪˈzɜːt] | desertas |
| destroy | [dɪˈstrɒɪ] | (su)griauti |
| ✿ destroyed | [dɪˈstrɒɪd] | (su)griovė |
| detective | [dɪˈtektɪv] | seklys |
| devote | [dɪˈvəʊt] | pašvęsti |
| ✿ devoted | [dɪˈvəʊtɪd] | pašventė |
| dew | [djuː] | rasa |

A a
B b
C c
**D d**
E e
F f
G g
H h
I i
J j
K k
L l
M m
N n
O o
P p
Q q
R r
S s
T t
U u
V v
W w
X x
Y y
Z z

| | | |
|---|---|---|
| diagonal | [daɪˈægənl] | įstrižainė |
| diagonally | [daɪˈægənli] | įstrižai |
| diagram | [ˈdaɪəgræm] | brėžinys, planas (*schema*) |
| dialogue | [ˈdaɪəlɒg] | pokalbis |
| diamond | [ˈdaɪəmənd] | deimantas, rombas |
| diary | [ˈdaɪəri] | dienoraštis |
| dice | [daɪs] | kauliukas (*lošimo*) |
| dictation | [dɪkˈteɪʃn] | diktantas |
| dictionary | [ˈdɪkʃənri] | žodynas (*knyga*) |
| ✿ did | | darė (*būt. l.*) *žr.* d o |
| die | [daɪ] | mirti |
| ✿ died | [daɪd] | mirė |
| difference | [ˈdɪfrəns] | skirtumas |
| different | [ˈdɪfrənt] | skirtingas |
| difficult | [ˈdɪfɪkəlt] | sunkus, keblus |
| dig | [dɪg] | kasti |
| ✿ dug | [dʌg] | kasė |
| dining-room | [ˈdaɪnɪŋrʊm] | valgomasis |
| dinner | [ˈdɪnə] | vakarienė |
| dinosaur | [ˈdaɪnəsɔː] | dinozauras |
| direct | [dɪˈrekt] | tiesus, tiesioginis |
| direction | [dɪˈrekʃn] | kryptis |
| director | [dɪˈrektə] | direktorius, vadovas (*įmonės*) |
| dirty | [ˈdɜːti] | purvinas |
| disappear | [ˌdɪsəˈpɪə] | dingti, išnykti |
| ✿ disappeared | [ˌdɪsəˈpɪəd] | dingo, išnyko |
| discipline | [ˈdɪsɪplɪn] | drausmė |
| disco | [ˈdɪskəʊ] | diskoteka *šnek.* |
| discotheque | [ˈdɪskətek] | diskoteka |
| discuss | [dɪˈskʌs] | aptarti |
| ✿ discussed | [dɪˈskʌst] | aptarė |
| discussion | [dɪˈskʌʃn] | aptarimas |
| disgusting | [dɪsˈgʌstɪŋ] | bjaurus, šlykštus |
| dish | [dɪʃ] | indas, patiekalas |
| dishwasher | [ˈdɪʃwɒʃə] | indų plovimo mašina |

| | | |
|---|---|---|
| distance | ['dɪstəns] | atstumas |
| distant | ['dɪstənt] | tolimas |
| disturb | [dɪ'stɜːb] | trukdyti |
| ✿ disturbed | [dɪ'stɜːbd] | trukdė |
| dive | [daɪv] | nerti (*vandenyje*) |
| ✿ dived | [daɪvd] | nėrė (*vandenyje*) |
| divide | [dɪ'vaɪd] | dalyti |
| ✿ divided | [dɪ'vaɪdɪd] | dalijo |
| dizzy | ['dɪzi] | apsvaigęs |
| do | [duː] | daryti, (*es. l. pagalb. veiksm.*) |
| ✿ did | [dɪd] | darė, (*būt. l. pagalb. veiksm.*) |
| do sums | [ˌduː 'sʌmz] | spręsti uždavinius |
| ✿ did sums | [ˌdɪd 'sʌmz] | sprendė uždavinius |
| doctor | ['dɒktə] | daktaras |
| documentary | [ˌdɒkju'mentəri] | dokumentinis |
| does | [dʌz] | *es. l. 3 asm. vns. pagalb. veiksm.* |
| doesn't | ['dʌznt] | *es. l. 3 asm. vns. neig. pagalb. veiksm.* |
| dog | [dɒg] | šuo |
| doggy | ['dɒgi] | šunelis |
| doll | [dɒl] | lėlė |
| dollar | ['dɒlə] | doleris |
| dolphin | ['dɒlfɪn] | delfinas |
| domestic | [də'mestɪk] | naminis |
| donkey | ['dɒŋki] | asilas |
| don't (do not) | [dəʊnt] | ne (*neig. kreipimas*) |
| Don't be silly! | [ˌdəʊnt bɪː 'sɪli] | Nekvailiok! |
| Don't worry! | [ˌdəʊnt 'wʌri] | Nesijaudink! |
| door | [dɔː] | durys |
| doormat | ['dɔːmæt] | kilimėlis (*prie durų*) |
| doorstep | ['dɔːstep] | slenkstis |
| dot | [dɒt] | taškas |
| down | [daʊn] | žemyn |

| | | |
|---|---|---|
| downstairs | [ˌdaʊnˈsteəz] | žemyn laiptais; apatiniame aukšte |
| drag | [dræg] | traukti |
| ✿dragged | [drægd] | traukė |
| dragon | [ˈdrægən] | drakonas |
| drama theatre | [ˈdrɑːmə θɪətə] | dramos teatras |
| draughts | [drɑːfts] | šaškės |
| draw | [drɔː] | piešti; braižyti |
| ✿drew | [druː] | piešė; braižė |
| drawer | [ˈdrɔːə] | stalčius |
| drawing | [ˈdrɔːɪŋ] | piešinys; brėžinys; piešimo pamoka |
| dream | [driːm] | sapnas; svajonė |
| dream | [driːm] | sapnuoti; svajoti |
| ✿dreamed | [driːmd] | sapnavo; svajojo |
| ✿dreamt | [dremt] | sapnavo; svajojo |
| dress | [dres] | suknelė |
| dress | [dres] | rengtis |
| ✿dressed | [drest] | rengėsi |
| dressing | [ˈdresɪŋ] | padažas |
| dressing-gown | [ˈdresɪŋgaʊn] | chalatas |
| drill | [drɪl] | pratybos (*įgūdžiams*) |
| drill | [drɪl] | gręžti |
| ✿drilled | [drɪld] | gręžė |
| drink | [drɪŋk] | gėrimas |
| drink | [drɪŋk] | gerti |
| ✿drank | [dræŋk] | gėrė |
| drive | [draɪv] | vairuoti |
| ✿drove | [drəʊv] | vairavo |
| driver | [ˈdraɪvə] | vairuotojas |
| drop | [drɒp] | lašas |
| drop | [drɒp] | nukristi, lašėti; numesti |
| ✿dropped | [drɒpt] | nukrito, lašėjo; numetė |
| drown | [draʊn] | skęsti |

| | | |
|---|---|---|
| ✿ drowned | [draʊnd] | skendo |
| drum | [drʌm] | būgnas |
| dry | [draɪ] | džiovinti |
| ✿ dried | [draɪd] | džiovino |
| dry | [draɪ] | sausas |
| dryer | [ˈdraɪə] | džiovintuvas |
| Dublin | [ˈdʌblɪn] | Dublinas |
| duck | [dʌk] | antis |
| duckling | [ˈdʌklɪŋ] | ančiukas |
| ✿ dug | | kasė (*būt. l.*) *žr.* d i g |
| dull | [dʌl] | nuobodus |
| dumb | [dʌm] | nebylus, bukas (*apie žmogų*) *šnek.* |
| dune | [djuːn] | kopa |
| during | [ˈdjʊərɪŋ] | per (*laikotarpį*) |
| during holidays | [ˌdjʊərɪŋˈhɒlədeɪz], [ˌdjʊərɪŋ ˈhɒlədɪz] | per atostogas |
| dust | [dʌst] | dulkės |
| dustbin | [ˈdʌstbɪn] | šiukšlių dėžė |
| duster | [ˈdʌstə] | dulkių šluostukas |
| duty | [ˈdjuːti] | pareiga |
| dwarf | [dwɔːf] | nykštukas |

## E e

| | | |
|---|---|---|
| eagle | [ˈiːgl] | erelis |
| each | [iːtʃ] | kiekvienas (*pabrėžia individualumą*) |
| ear | [ɪə] | ausis |
| earache | [ˈɪəreɪk] | ausų skausmas |
| early | [ˈɜːli] | ankstus, anksti |
| earring | [ˈɪərɪŋ] | auskaras |
| Earth | [ɜːθ] | Žemė (*planeta*) |
| earthquake | [ˈɜːθkweɪk] | žemės drebėjimas |
| easel | [ˈiːzl] | molbertas |

A a B b C c D d **E e** F f G g H h I i J j K k L l M m N n O o P p Q q R r S s T t U u V v W w X x Y y Z z

| | | |
|---|---|---|
| easy | [ˈiːzi] | lengvas |
| East | [iːst] | rytai |
| Easter | [ˈiːstə] | Velykos |
| Easter egg | [ˈiːstər eg] | margutis |
| eastern | [ˈiːstən] | rytinis |
| eat | [iːt] | valgyti |
| ✿ ate | [et] | valgė |
| edge | [edʒ] | kraštas, pakraštys |
| Edinburgh | [ˈedɪnbərə] | Edinburgas |
| eel | [ iːl] | ungurys |
| effect | [ɪˈfekt] | efektas, poveikis |
| egg | [eg] | kiaušinis |
| eggplant | [ˈegplɑːnt] | baklažanas |
| Egypt | [ˈiːdʒɪpt] | Egiptas |
| eight | [eɪt] | aštuoni |
| eighteen | [ˌeɪˈtiːn] | aštuoniolika |
| eighteenth | [ˌeɪˈtiːnθ] | aštuonioliktas |
| eighth | [eɪtθ] | aštuntas |
| eighty | [ˈeɪti] | aštuoniasdešimt |
| eightieth | [ˈeɪtɪəθ] | aštuoniasdešimtas |
| either | [ˈaɪðə] | vienas iš dviejų |
| elastic | [ɪˈlæstɪk] | lankstus |
| elastic tape | [ɪˈlæstɪk teɪp] | gumos juostelė |
| elbow | [ˈelbəʊ] | alkūnė |
| electricity | [ɪˌlekˈtrɪsəti] | elektra |
| elephant | [ˈelɪfənt] | dramblys |
| eleven | [ɪˈlevn] | vienuolika |
| eleventh | [ɪˈlevnθ] | vienuoliktas |
| elf | [elf] | elfas |
| elk | [elk] | briedis |
| elm | [elm] | guoba |
| emperor | [ˈempərə] | imperatorius |
| empire | [ˈempaɪə] | imperija |
| empty | [ˈempti] | tuščias |
| end | [end] | pabaiga |
| end | [end] | baigti |

| | | |
|---|---|---|
| ✿ ended | [ˈendɪd] | baigė |
| enemy | [ˈenəmi] | priešas |
| engine | [ˈendʒɪn] | garvežys, variklis |
| engine-driver | [ˈendʒɪndraɪvə] | garvežio mašinistas |
| engineer | [ˌendʒɪˈnɪə] | inžinierius |
| England | [ˈɪŋglənd] | Anglija |
| English | [ˈɪŋglɪʃ] | anglų kalba; angliškas |
| Englishman | [ˈɪŋglɪʃmən] | anglas |
| Englishwoman | [ˈɪŋglɪʃwʊmən] | anglė |
| enjoy | [ɪnˈdʒɒɪ] | jausti (*malonumą*) |
| ✿ enjoyed | [ɪnˈdʒɒɪd] | jautė (*malonumą*) |
| enormous | [ɪˈnɔːməs] | didžiulis, milžiniškas |
| enough | [ɪˈnʌf] | pakankamai |
| enter | [ˈentə] | įeiti |
| ✿ entered | [ˈentəd] | įėjo |
| entertainment | [ˌentəˈteɪnmənt] | pramoga |
| entrance | [ˈentrəns] | įėjimas |
| envelope | [ˈenvələʊp] | vokas |
| equal | [ˈiːkwəl] | lygus (*vienodos dalys*) |
| equivalent | [ɪkˈwɪvələnt] | lygiavertis |
| eraser | [ɪˈreɪzə] | trintukas |
| erupt | [ɪˈrʌpt] | išsiveržti |
| ✿ erupted | [ɪˈrʌptɪd] | išsiveržė |
| eruption | [ɪˈrʌpʃn] | išsiveržimas |
| escape | [ɪˈskeɪp] | pabėgimas |
| escape | [ɪˈskeɪp] | pabėgti, išvengti |
| ✿ escaped | [ɪˈskeɪpt] | pabėgo, išvengė |
| especially | [ɪˈspeʃəli] | ypač |
| Estonia | [esˈtəʊnɪə] | Estija |
| Estonian | [esˈtəʊnɪən] | estas; estų kalba; estiškas |
| Europe | [ˈjʊərəp] | Europa |
| even | [ˈiːvn] | net |
| evening | [ˈiːvnɪŋ] | vakaras |
| ever | [ˈevə] | kartais, kada nors |

Aa Bb Cc Dd **Ee** Ff Gg Hh Ii Jj Kk Ll Mm Nn Oo Pp Qq Rr Ss Tt Uu Vv Ww Xx Yy Zz

| | | |
|---|---|---|
| every | ['evri] | kiekvienas (*bendrumas su visais*) |
| everybody | ['evribədi] | visi, kiekvienas (*apie žmogų*) |
| everyday | ['evrideɪ] | kasdienis; kasdien |
| everything | ['evriθɪŋ] | viskas |
| everywhere | ['evriweə] | visur |
| exam | [ɪg'zæm] | egzaminas *šnek.* |
| examination | [ɪgˌzæmɪ'neɪʃn] | egzaminas |
| example | [ɪg'zɑːmpl] | pavyzdys |
| except | [ɪk'sept] | išskyrus |
| excepting | [ɪk'septɪŋ] | išskyrus |
| exciting | [ɪk'saɪtɪŋ] | jaudinantis |
| excursion | [ɪk'skɜːʃn] | ekskursija |
| excuse | [ɪk'skjuːs] | pasiteisinimas |
| Excuse me! | [ɪk'skjuːz mɪ] | Atleiskite! |
| exercise | ['eksəsaɪz] | pratimas |
| exercise-book | ['eksəsaɪzbʊk] | sąsiuvinis |
| exhausted | [ɪg'zɔːstɪd] | išsekęs |
| exhibit | [ɪg'zɪbɪt] | eksponatas |
| exhibition | [ˌeksɪ'bɪʃn] | paroda |
| exit | ['eksɪt], ['egzɪt] | išėjimas |
| expensive | [ɪk'spensɪv] | brangus (*didelė kaina*) |
| experiment | [ɪk'sperɪmənt] | bandymas |
| explain | [ɪk'spleɪn] | paaiškinti |
| ✿ explained | [ɪk'spleɪnd] | paaiškino |
| explode | [ɪk'spləʊd] | sprogti |
| ✿ exploded | [ɪk'spləʊdɪd] | sprogo |
| explosion | [ɪk'spləʊʒn] | sprogimas |
| express | [ɪk'spres] | išreikšti |
| ✿ expressed | [ɪk'sprest] | išreiškė |
| extinct | [ɪk'stɪŋkt] | išnykęs |
| extra | ['ekstrə] | papildomas |
| eye | [aɪ] | akis |
| eyebrow | ['aɪbraʊ] | antakis |

| | | |
|---|---|---|
| eyelash | ['aɪlæʃ] | blakstiena |
| eyelid | ['aɪlɪd] | akies vokas |

## F f

| | | |
|---|---|---|
| face | [feɪs] | veidas |
| facilities | [fə'sɪlətiz] | patogumai *dgs.* |
| facility | [fə'sɪləti] | gebėjimas |
| factory | ['fæktəri] | fabrikas |
| fair | [feə] | šviesus, šviesiaplaukis |
| fairy | ['feəri] | fėja |
| fairy-tale | ['feəriteɪl] | pasaka |
| fall | [fɔːl] | ruduo *amer.* |
| fall | [fɔːl] | kristi |
| ✿ fell | [fel] | krito |
| fall down | [ˌfɔːl 'daʊn] | nukristi |
| ✿ fell down | [ˌfel 'daʊn] | nukrito |
| fall out | [ˌfɔːl 'aʊt] | iškristi |
| ✿ fell out | [ˌfel 'aʊt] | iškrito |
| false | [fɔːls] | klaidingas; netikras |
| family | ['fæməli] | šeima |
| family-tree | ['fæməlitriː] | genealoginis medis |
| famous | ['feɪməs] | žymus |
| fan | [fæn] | vėduoklė |
| fantastic | [fæn'tæstɪk] | fantastiškas |
| far | [fɑː] | toli |
| farewell | [feə'wel] | atsisveikinimas |
| farm | [fɑːm] | ūkis |
| farmer | ['fɑːmə] | ūkininkas |
| fast | [fɑːst] | greitas |
| fat | [fæt] | riebus, storas |
| father | ['fɑːðə] | tėvas |
| Father Christmas | [ˌfɑːðə 'krɪsməs] | Kalėdų Senis |
| Father Frost | [ˌfɑːðə 'frɒst] | Senis Šaltis |
| fault | [fɔːlt] | klaida, kaltė |

Aa Bb Cc Dd Ee **Ff** Gg Hh Ii Jj Kk Ll Mm Nn Oo Pp Qq Rr Ss Tt Uu Vv Ww Xx Yy Zz

| | | |
|---|---|---|
| favourite | ['feɪvərɪt] | mėgstamas |
| fax | [fæks] | faksas |
| fear | [fɪə] | baimė |
| feather | ['feðə] | plunksna (*paukščio*) |
| February | ['febrʊəri] | vasaris |
| feed | [fi:d] | maitinti |
| ✿ fed | [fed] | maitino |
| feel | [fi:l] | jausti |
| ✿ felt | [felt] | jautė |
| feeling | ['fi:lɪŋ] | jausmas, emocijos |
| feet | [fi:t] | pėdos |
| ✿ fell | | krito (*būt. l.*) *žr.* f a l l |
| female | ['fi:meɪl] | moteris (*lytis*) |
| fence | [fens] | tvora |
| few | [fju:] | mažai, nedaugelis |
| field | [fi:ld] | laukas |
| fierce | [fɪəs] | žiaurus, piktas |
| fiercely | ['fɪəsli] | žiauriai |
| fifteen | [ˌfɪf'ti:n] | penkiolika |
| fifteenth | [ˌfɪf'ti:nθ] | penkioliktas |
| fifth | [fɪfθ] | penktas |
| fifty | ['fɪfti] | penkiasdešimt |
| fiftieth | ['fɪftɪəθ] | penkiasdešimtas |
| fig | [fɪg] | špyga |
| fight | [faɪt] | kova |
| fight | [faɪt] | kovoti |
| ✿ fought | [fɔ:t] | kovojo |
| fill | [fɪl] | užpildyti |
| ✿ filled | [fɪld] | užpildė |
| film | [fɪlm] | filmas |
| fin | [fɪn] | pelekas |
| finally | ['faɪnəli] | pagaliau |
| find | [faɪnd] | rasti |
| ✿ found | [faʊnd] | rado |
| fine | [faɪn] | puikus |
| fine looking | [ˌfaɪn 'lʊkɪŋ] | gražiai atrodantis |

| | | |
|---|---|---|
| finger | ['fɪŋgə] | pirštas |
| fingernail | ['fɪŋgəneɪl] | nagas (*rankos*) |
| fingerprint | ['fɪŋgəprɪnt] | pirštų atspaudas |
| finish | ['fɪnɪʃ] | pabaiga |
| finish | ['fɪnɪʃ] | pabaigti |
| ✿ finished | ['fɪnɪʃt] | pabaigė |
| fir | [fɜː] | eglė |
| fire | ['faɪə] | ugnis |
| fire-engine | ['faɪərˌendʒɪn] | ugniagesių mašina |
| fireman | ['faɪəmən] | ugniagesys |
| fireplace | ['faɪəpleɪs] | židinys |
| firework | ['faɪəwɜːk] | fejerverkas |
| first | [fɜːst] | pirmas |
| first floor | ['fɜːst flɔː] | antras aukštas |
| first name | ['fɜːst neɪm] | vardas |
| fir-tree | ['fɜːtriː] | eglė |
| fish | [fɪʃ] | žuvis |
| fish shop | ['fɪʃ ʃɒp] | žuvies parduotuvė |
| fisherman | ['fɪʃəmən] | žvejys |
| fishing | ['fɪʃɪŋ] | žvejyba |
| fishing-net | ['fɪʃɪŋnet] | žvejybos tinklas |
| fit | [fɪt] | tikti |
| ✿ fitted | ['fɪtɪd] | tiko |
| five | [faɪv] | penki |
| fix | [fɪks] | (su)taisyti, remontuoti |
| ✿ fixed | [fɪkst] | (su)taisė, remontavo |
| flag | [flæg] | vėliava |
| flame | [fleɪm] | liepsna |
| flap | [flæp] | plazdenti |
| ✿ flapped | [flæpt] | plazdeno |
| flat | [flæt] | butas |
| flea | [fliː] | blusa |
| ✿ flew | | skrido (*būt. l.*) *žr.* f l y |
| float | [fləʊt] | plūduriuoti |
| ✿ floated | ['fləʊtɪd] | plūduriavo |
| flood | [flʌd] | potvynis |


A a
B b
C c
D d
E e
**F f**
G g
H h
I i
J j
K k
L l
M m
N n
O o
P p
Q q
R r
S s
T t
U u
V v
W w
X x
Y y
Z z

| | | |
|---|---|---|
| floor | [flɔː] | grindys |
| florist | [ˈflɒrɪst] | gėlininkas |
| flour | [ˈflaʊə] | miltai |
| flow | [fləʊ] | tekėti |
| ✿ flowed | [fləʊd] | tekėjo |
| flower | [ˈflaʊə] | gėlė |
| flowered | [ˈflaʊəd] | gėlėtas |
| flowerpot | [ˈflaʊəpɒt] | gėlių vazonas |
| flute | [fluːt] | fleita |
| fly | [flaɪ] | musė |
| fly | [flaɪ] | skristi |
| ✿ flew | [fluː] | skrido |
| foal | [fəʊl] | kumeliukas (*iki metų*) |
| fog | [fɒg] | rūkas |
| foggy | [ˈfɒgi] | ūkanotas |
| fold | [fəʊld] | lankstyti |
| ✿ folded | [ˈfəʊldɪd] | lankstė |
| follow | [ˈfɒləʊ] | sekti |
| ✿ followed | [ˈfɒləʊd] | sekė |
| fond | [fɒnd] | mėgstantis, mylintis |
| food | [fuːd] | maistas |
| fool | [fuːl] | kvailys |
| foolish | [ˈfuːlɪʃ] | kvailas, neprotingas |
| foot | [fʊt] | pėda |
| football | [ˈfʊtbɔːl] | futbolas |
| for | [fɔː], [fə] | dėl; *verčiamas naudininko linksniu* |
| forever | [fəˈrevə] | amžinai |
| forehead | [ˈfɒrɪd] | kakta |
| forest | [ˈfɒrɪst] | miškas |
| forget | [fəˈget] | pamiršti |
| ✿ forgot | [fəˈgɒt] | pamiršo |
| forget-me-not | [fəˈgetmɪnɒt] | neužmirštuolė *bot.* |
| forgive | [fəˈgɪv] | atleisti |
| ✿ forgave | [fəˈgeɪv] | atleido |
| fork | [fɔːk] | šakutė (*valgymo*) |

| | | |
|---|---|---|
| form | [fɔːm] | forma; klasė (*mokyklos*) |
| forty | [ˈfɔːti] | keturiasdešimt |
| fortieth | [ˈfɔːtɪəθ] | keturiasdešimtas |
| fortune | [ˈfɔːtʃuːn] | sėkmė |
| fortune-teller | [ˈfɔːtʃuːntelə] | pranašautoja |
| forwards | [ˈfɔːwədz] | pirmyn |
| fossil | [ˈfɒsɪl] | iškasena |
| ✿ fought | | kovojo (*būt. l.*) *žr.* f i g h t |
| ✿ found | | rado (*būt. l.*) *žr.* f i n d |
| fountain | [ˈfaʊntɪn] | fontanas |
| four | [fɔː] | keturi |
| fourteen | [ˌfɔːˈtiːn] | keturiolika |
| fourteenth | [ˌfɔːˈtiːnθ] | keturioliktas |
| fourth | [fɔːθ] | ketvirtas |
| fox | [fɒks] | lapė |
| France | [frɑːns] | Prancūzija |
| freckle | [ˈfrekl] | strazdana |
| free | [friː] | laisvas |
| freeze | [friːz] | šalti |
| ✿ froze | [frəʊz] | šalo |
| freezer | [ˈfriːzə] | šaldiklis |
| French | [frentʃ] | prancūzų kalba; prancūziškas |
| Frenchman | [ˈfrentʃmən] | prancūzas |
| Frenchwoman | [ˈfrentʃˌwʊmən] | prancūzė |
| fresh | [freʃ] | šviežias |
| freshwater | [ˈfreʃwɔːtə] | gėlas vanduo |
| Friday | [ˈfraɪdeɪ], [ˈfraɪdi] | penktadienis |
| fridge | [frɪdʒ] | šaldytuvas |
| friend | [frend] | draugas |
| frighten | [ˈfraɪtn] | gąsdinti |
| ✿ frightened | [ˈfraɪtnd] | gąsdino |
| frightened | [ˈfraɪtnd] | išgąsdintas |
| frog | [frɒg] | varlė |
| from | [frɒm], [frəm] | iš, nuo |
| front | [frʌnt] | priekis |

A a B b C c D d E e F f G g H h I i J j K k L l M m N n O o P p Q q R r S s T t U u V v W w X x Y y Z z

| | | |
|---|---|---|
| frost | [frɒst] | šaltis; šerkšnas |
| frostbite | [ˈfrɒstbaɪt] | nušalimas |
| ✿froze | | šalo (*būt. l.*) *žr.* f r e e z e |
| fruit | [fruːt] | vaisiai |
| fruitseller | [ˈfruːtselə] | vaisių pardavėjas |
| fry | [fraɪ] | kepti (*riebaluose*) |
| ✿fried | [fraɪd] | kepė (*riebaluose*) |
| full | [fʊl] | pilnas |
| full name | [ˈfʊl neɪm] | vardas ir pavardė |
| fume | [fjuːm] | dūmai, garai |
| fun | [fʌn] | džiaugsmas, malonumas |
| funfair | [ˈfʌnfeə] | mugė |
| funny | [ˈfʌni] | juokingas |
| fur | [fɜː] | kailis |
| furious | [ˈfjʊərɪəs] | įniršęs |
| furniture | [ˈfɜːnɪtʃə] | baldai |
| future | [ˈfjuːtʃə] | ateitis |

## G g

| | | |
|---|---|---|
| gaily | [ˈgeɪli] | linksmai |
| galaxy | [ˈgæləksi] | galaktika |
| game | [geɪm] | žaidimas |
| garage | [ˈgærɑːʒ] | garažas |
| garden | [ˈgɑːdn] | sodas, daržas |
| gardener | [ˈgɑːdnə] | sodininkas |
| gas | [gæs] | dujos |
| gate | [geɪt] | vartai |
| gather | [ˈgæðə] | rinkti |
| ✿gathered | [ˈgæðəd] | rinko |
| ✿gave | | davė (*būt. l.*) *žr.* g i v e |
| gay | [geɪ] | linksmas, nerūpestingas |
| geese | [giːs] | žąsys |
| generous | [ˈdʒenərəs] | dosnus |
| gently | [ˈdʒentli] | švelniai |

| | | |
|---|---|---|
| geography | [dʒɪ'ɒgrəfi] | geografija |
| germ | [dʒɜːm] | mikrobas |
| German | ['dʒɜːmən] | vokiečių kalba; vokietis; vokiškas |
| Germany | ['dʒɜːməni] | Vokietija |
| get | [get] | gauti |
| ✿ got | [gɒt] | gavo |
| get into | [ˌget 'ɪntə] | įlįsti |
| ✿ got into | [ˌgɒt 'ɪntə] | įlindo |
| get out of | [ˌget 'aʊt əv] | išlįsti |
| ✿ got out of | [ˌgɒt 'aʊt əv] | išlindo |
| get up | [ˌget 'ʌp] | keltis |
| ✿ got up | [ˌgɒt 'ʌp] | kėlėsi |
| ghost | [gəʊst] | vaiduoklis |
| giant | ['dʒaɪənt] | milžinas |
| gift | [gɪft] | dovana |
| gigantic | [dʒaɪ'gæntɪk] | milžiniškas, gigantiškas |
| giraffe | [dʒə'rɑːf] | žirafa |
| girl | [gɜːl] | mergaitė |
| give | [gɪv] | duoti |
| ✿ gave | [geɪv] | davė |
| glad | [glæd] | patenkintas |
| glance | [glɑːns] | žvilgterėti |
| ✿ glanced | [glɑːnst] | žvilgterėjo |
| glass | [glɑːs] | stiklas, stiklinė |
| glasses | ['glɑːsɪz] | akiniai |
| glider | ['glaɪdə] | sklandytuvas |
| gliding | ['glaɪdɪŋ] | sklandymas |
| globe | [gləʊb] | gaublys |
| glove | [glʌv] | pirštinė |
| glue | [gluː] | klijai |
| gnat | [næt] | uodas |
| go | [gəʊ] | eiti |
| ✿ went | [went] | ėjo |
| go for a walk | [ˌgəʊ fər ə'wɔːk] | eiti pasivaikščioti |

A a
B b
C c
D d
E e
F f
**G g**
H h
I i
J j
K k
L l
M m
N n
O o
P p
Q q
R r
S s
T t
U u
V v
W w
X x
Y y
Z z

| | | |
|---|---|---|
| ✿ went for a walk | ['went fər ə'wɔːk] | ėjo pasivaikščioti |
| go through | [ˌgəʊ 'θruː] | praeiti pro |
| ✿ went through | [ˌwent 'θruː] | praėjo pro |
| goal | [gəʊl] | tikslas |
| goat | [gəʊt] | ožys, ožka |
| God | [gɒd] | Dievas |
| going to | ['gəʊɪŋ tə] | ketinti |
| gold | [gəʊld] | auksas |
| golden | ['gəʊldən] | auksinis |
| goldfish | ['gəʊldfɪʃ] | auksinė žuvelė |
| golf | [gɒlf] | golfas |
| good | [gʊd] | geras |
| good afternoon | [ˌgʊd ɑːftə'nuːn] | laba diena |
| good evening | [ˌgʊd 'iːvnɪŋ] | labas vakaras |
| Good Friday | [ˌgʊd 'fraɪdi] | Didysis penktadienis |
| good morning | [ˌgʊd 'mɔːnɪŋ] | labas rytas |
| Goodbye! | [gʊd'baɪ] | Sudie! |
| goodnight | [gʊd'naɪt] | labanaktis |
| goodness | ['gʊdnɪs] | gerumas |
| good-tempered | [ˌgʊd'tempəd] | gero būdo |
| goose | [guːs] | žąsis |
| gooseberry | ['gʊzberi] | agrastas |
| gorilla | [gə'rɪlə] | gorila |
| ✿ got | | gavo (*būt. l.*) *žr.* g e t |
| gown | [gaʊn] | proginė suknelė |
| grain | [greɪn] | grūdai |
| gramme | [græm] | gramas |
| grand | [grænd] | milžiniškas, didingas |
| granddad | ['grændæd] | senelis *šnek.* |
| granddaughter | ['grændɔːtə] | vaikaitė |
| grandfather | ['grænfɑːðə] | senelis |
| grandma | ['grænmɑː] | senelė *šnek.* |
| grandmother | ['grænmʌðə] | senelė |
| grandpa | ['grænpɑː] | senelis *šnek.* |
| grandparents | ['grænpeərənts] | seneliai |
| granson | ['grænsʌn] | vaikaitis |

| | | |
|---|---|---|
| granny | ['græni] | močiutė *šnek.* |
| grape | [greɪp] | vynuogė |
| grapefruit | ['greɪpfru:t] | greipfrutas |
| graph | [græf], [grɑ:f] | skiltis, grafa |
| grass | [grɑ:s] | žolė |
| grasshopper | ['grɑ:shɒpə] | žiogas |
| grateful | ['greɪtfəl] | dėkingas |
| gravity | ['grævɪti] | žemės trauka |
| graze | [greɪz] | ganytis |
| ✿ grazed | [greɪzd] | ganėsi |
| great | [greɪt] | didis; puikus |
| Great Bear | [ˌgreɪt 'beə] | Didieji Grįžulo Ratai |
| Great Britain | [ˌgreɪt 'brɪtn] | Didžioji Britanija |
| Greece | [gri:s] | Graikija |
| greedy | ['gri:di] | godus |
| Greek | [gri:k] | graikas; graikų kalba; graikiškas |
| green | [gri:n] | žalias |
| greengrocer's | [ˌgri:n'grəʊsəz] | daržovių ir vaisių parduotuvė |
| greet | [gri:t] | sveikinti |
| ✿ greeted | ['gri:tɪd] | sveikino |
| greeting | ['gri:tɪŋ] | sveikinimas |
| grey | [greɪ] | pilkas |
| grill | [grɪl] | kepti (*ant iešmo*) |
| ✿ grilled | [grɪld] | kepė (*ant iešmo*) |
| grinder | ['graɪndə] | malimo mašina |
| grizzly | ['grɪzli] | pilkasis lokys |
| grocer's | ['grəʊsəz] | bakalėja |
| ground | [graʊnd] | žemė (*pagrindas*) |
| ground floor | [ˌgraʊnd 'flɔ:] | pirmas aukštas |
| group | [gru:p] | grupė |
| grow | [grəʊ] | augti |
| ✿ grew | [gru:] | augo |
| grown-up | ['grəʊnʌp] | suaugęs žmogus |
| grumble | ['grʌmbl] | niurnėti |

| | | |
|---|---|---|
| ✿ grumbled | [ˈgrʌmbld] | niurnėjo |
| guess | [ges] | spėti |
| ✿ guessed | [gest] | spėjo |
| guest | [gest] | svečias |
| guitar | [gɪˈtɑː] | gitara |
| guitarist | [gɪˈtɑːrɪst] | gitaristas |
| gun | [gʌn] | šautuvas |
| guy | [gaɪ] | vaikinas *amer.* |
| gym | [dʒɪm] | sporto salė *šnek.* |
| gymnasium | [dʒɪmˈneɪzɪəm] | gimnastikos salė |
| gymnast | [dʒɪmˈnæst] | gimnastas |
| gymnastics | [dʒɪmˈnæstɪks] | gimnastika |

## H h

| | | |
|---|---|---|
| Ha! Ha! | [ˌhɑːˈhɑː] | Cha! Cha! |
| ✿ had | | turėjo (*būt. l.*) *žr.* have / has |
| ✿ had got | | turėjo (*būt. l.*) *žr.* have got/has got |
| ✿ had to | | privalėjo (*būt. l.*) *žr.* have to |
| hair | [heə] | plaukai |
| hairbrush | [ˈheəbrʌʃ] | plaukų šepetys |
| haircut | [ˈheəkʌt] | šukuosena |
| hairdresser | [ˈheədresə] | kirpėjas (*moterų*) |
| hairdresser's | [ˈheədresəz] | kirpykla (*moterų*) |
| hairy | [ˈheəri] | plaukuotas |
| half | [hɑːf] | pusė |
| half full | [ˈhɑːf fʊl] | pusiau pilnas |
| hall | [hɔːl] | salė, prieškambaris |
| halves | [hɑːvz] | pusės |
| ham | [hæm] | kumpis |
| hamburger | [ˈhæmbɜːgə] | mėsainis |
| hammer | [ˈhæmə] | plaktukas |
| hamster | [ˈhæmstə] | žiurkėnas |
| hand | [hænd] | ranka (*plaštaka*) |
| handicraft | [ˈhændɪkrɑːft] | rankdarbiai |

| | | |
|---|---|---|
| handkerchief | ['hæŋkətʃɪf] | nosinė |
| handle | ['hændl] | rankena |
| handsome | ['hænsəm] | gražus (*apie vyrą*) |
| hang | [hæŋ] | kabėti |
| ✿ hung | [hʌŋ] | kabėjo |
| happen | ['hæpn] | atsitikti |
| ✿ happened | ['hæpnd] | atsitiko |
| happy | ['hæpi] | laimingas, linksmas |
| Happy Birthday! | [ˌhæpi 'bɜːθdeɪ] | Su gimimo diena! |
| harbour | ['hɑːbə] | prieplauka |
| hard | [hɑːd] | sunkus, kietas |
| hard-working | [ˌhɑːd'wɜːkɪŋ] | stropus |
| hare | [heə] | kiškis |
| harvest | ['hɑːvɪst] | derlius |
| has | [hæz], [həz] | (jis, ji) turi |
| ✿ had | [hæd], [həd] | (jis, ji) turėjo |
| has got | [həz 'gɒt] | (jis, ji) turi |
| ✿ had got | [həd 'gɒt] | (jis, ji) turėjo |
| hasn't | ['hæznt] | (jis, ji) neturi |
| ✿ hadn't | ['hædn't] | (jis, ji) neturėjo |
| hat | [hæt] | skrybėlė |
| hatch | [hætʃ] | perėti |
| ✿ hatched | [hætʃt] | perėjo |
| hate | [heɪt] | nekęsti |
| ✿ hated | ['heɪtɪd] | nekentė |
| haunt | [hɔːnt] | vaidentis |
| ✿ haunted | ['hɔːntɪd] | vaidenosi |
| have | [hæv], [həv] | (aš, tu, mes, jūs, jie) turi |
| ✿ had | [hæd], [həd] | (aš, tu, mes, jūs, jie) turėjo |
| have a bath | [ˌhæv ə 'bɑːθ] | maudytis vonioje |
| ✿ had a bath | [ˌhæd ə 'bɑːθ] | maudėsi vonioje |
| have a cold | [ˌhæv ə 'kəʊld] | būti peršalusiam |
| ✿ had a cold | [ˌhæd ə 'kəʊld] | buvo peršalęs |
| have a cough | [ˌhæv ə 'kɒf] | kosėti |
| ✿ had a cough | [ˌhæd ə 'kɒf] | kosėjo |
| have a game | [ˌhæv ə 'geɪm] | žaisti |
| ✿ had a game | [ˌhæd ə 'geɪm] | žaidė |

| | | |
|---|---|---|
| have a good time | [ˌhæv ə gʊd ˈtaɪm] | maloniai leisti laiką |
| ✿ had a good time | [ˌhæd ə gʊd ˈtaɪm] | maloniai leido laiką |
| have a headache | [ˌhæv ə ˈhedeɪk] | skaudėti galvą |
| ✿ had a headache | [ˌhæd ə ˈhedeɪk] | skaudėjo galvą |
| have a lot of fun | [ˌhæv ə lɒt əv ˈfʌn] | smagiai leisti laiką |
| ✿ had a lot of fun | [ˌhæd ə lɒt əv ˈfʌn] | smagiai leido laiką |
| have a meal | [ˌhæv ə ˈmiːl] | valgyti |
| ✿ had a meal | [ˌhæd ə ˈmiːl] | valgė |
| have a party | [ˌhæv ə ˈpɑːti] | rengti vakarėlį |
| ✿ had a party | [ˌhæd ə ˈpɑːti] | rengė vakarėlį |
| have a rest | [ˌhæv ə ˈrest] | ilsėtis |
| ✿ had a rest | [ˌhæd ə ˈrest] | ilsėjosi |
| have a ride | [ˌhæv ə ˈraɪd] | važinėtis |
| ✿ had a ride | [ˌhæd ə ˈraɪd] | važinėjo |
| have a shower | [ˌhæv ə ˈʃaʊə] | praustis po dušu |
| ✿ had a shower | [ˌhæd ə ˈʃaʊə] | prausėsi po dušu |
| have a sore throat | [ˌhæv ə ˈsɔː ˈθrəʊt] | skaudėti gerklę |
| ✿ had a sore throat | [ˌhæd ə ˈsɔː ˈθrəʊt] | skaudėjo gerklę |
| have a swim | [ˌhæv ə ˈswɪm] | plaukioti |
| ✿ had a swim | [ˌhæd ə ˈswɪm] | plaukiojo |
| have a walk | [ˌhæv ə ˈwɔːk] | vaikščioti |
| ✿ had a walk | [ˌhæd ə ˈwɔːk] | vaikščiojo |
| have breakfast | [ˌhæv ˈbrekfəst] | pusryčiauti |
| ✿ had breakfast | [ˌhæd ˈbrekfəst] | pusryčiavo |
| have dinner | [ˌhæv ˈdɪnə] | vakarieniauti |
| ✿ had dinner | [ˌhæd ˈdɪnə] | vakarieniavo |
| have got | [həv ˈgɒt] | (aš, tu, mes, jūs, jie) turi |
| ✿ had got | [həd ˈgɒt] | (aš, tu, mes, jūs, jie) turėjo |
| have lunch | [ˌhæv ˈlʌntʃ] | pietauti |
| ✿ had lunch | [ˌhæd ˈlʌntʃ] | pietavo |
| have on | [ˌhæv ˈɒn] | būti apsirengusiam |
| ✿ had on | [ˌhæd ˈɒn] | buvo apsirengęs |
| have supper | [ˌhæv ˈsʌpə] | užkąsti prieš einant gulti |
| ✿ had supper | [ˌhæd ˈsʌpə] | užkando prieš einant gulti |

| | | |
|---|---|---|
| have to | [ˈhæv tə] | privalėti (*aplinkybės*) |
| ✿had to | [ˈhæd tə] | privalėjo (*aplinkybės*) |
| haven't | [ˈhævnt] | neturi |
| ✿hadn't | [ˈhædnt] | neturėjo |
| hawk | [hɔːk] | vanagas |
| hay | [heɪ] | šienas |
| haystack | [ˈheɪstæk] | šieno kūgis |
| hazel | [ˈheɪzl] | lazdynas |
| he | [hiː], [hɪ] | jis |
| head | [hed] | galva |
| headache | [ˈhedeɪk] | galvos skausmas |
| heading | [ˈhedɪŋ] | antraštė |
| headmaster | [ˈhedmɑːstə] | direktorius |
| headmistress | [ˈhedmɪstrɪs] | direktorė |
| headphones | [ˈhedfəʊnz] | ausinės |
| health | [helθ] | sveikata |
| healthy | [ˈhelθi] | sveikas |
| heap | [hiːp] | krūva |
| hear | [hɪə] | girdėti |
| ✿heard | [hɜːd] | girdėjo |
| heart | [hɑːt] | širdis |
| heat | [hiːt] | karštis |
| heater | [ˈhiːtə] | šildytuvas |
| heaven | [ˈhevn] | dangus |
| heavily | [ˈhevɪli] | sunkiai |
| heavy | [ˈhevi] | sunkus (*apie daiktą*) |
| hedge | [hedʒ] | gyvatvorė |
| hedgehog | [ˈhedʒhɒg] | ežys |
| heel | [hiːl] | kulnas |
| height | [haɪt] | aukštis |
| ✿held | | laikė (*būt. l.*) *žr.* h o l d |
| helicopter | [ˈhelɪkɒptə] | malūnsparnis |
| Hello! | [həˈləʊ] | Sveikas! |
| helmet | [ˈhelmɪt] | šalmas |
| help | [help] | pagalba |
| help | [help] | padėti |

| | | |
|---|---|---|
| ✿helped | [helpt] | padėjo |
| Help youself! | [ˌhelp jəˈself] | Pasivaišinkite! |
| helpful | [ˈhelpfəl] | paslaugus, naudingas |
| hen | [hen] | višta |
| her | [hɜː], [hə] | jos (*su daiktav.)* |
| herd | [hɜːd] | banda (*gyvulių*) |
| here | [hɪə] | čia |
| Here you are! | [ˈhɪə jʊ ˌɑː] | Prašom! (*paduodant*) |
| herring | [ˈherɪŋ] | silkė |
| hers | [hɜːz] | jos (*be daiktav.*) |
| herself | [hɜːˈself], [həˈself] | ji pati (*viena*) |
| hexagon | [ˈheksəgən] | šešiakampis |
| Hi! | [haɪ] | Labas! *amer.* |
| hide | [haɪd] | slėptis |
| ✿hid | [hɪd] | slėpėsi |
| hide-and-seek | [ˌhaɪdəndˈsiːk] | slėpynės |
| high | [haɪ] | aukštas |
| highland | [ˈhaɪlənd] | kalnuotas kraštas |
| highway | [ˈhaɪweɪ] | greitkelis |
| hike | [haɪk] | žygis pėsčiomis |
| hill | [hɪl] | kalva |
| him | [hɪm] | jam |
| himself | [hɪmˈself] | jis pats (vienas) |
| hind | [haɪnd] | elnė, stirna |
| hip | [hɪp] | klubas (*kūno dalis*) |
| hippo | [ˈhɪpəʊ] | begemotas *šnek.* |
| hippopotamus | [ˌhɪpəˈpɒtəməs] | begemotas |
| his | [hɪz] | jo |
| history | [ˈhɪstəri] | istorija |
| hit | [hɪt] | suduoti |
| ✿hit | [hɪt] | sudavė |
| hive | [haɪv] | avilys |
| hoarse | [hɔːs] | užkimęs |
| hobby | [ˈhɒbi] | laisvalaikio pomėgis |
| hockey | [ˈhɒki] | ledo ritulys |

| | | |
|---|---|---|
| hold | [həʊld] | laikyti (*sugriebti*) |
| ✿ held | [held] | laikė (*sugriebė*) |
| hole | [həʊl] | skylė |
| holiday | [ˈhɒlədeɪ], [ˈhɒlədi] | šventė, atostogos |
| holly | [ˈhɒli] | bugienis |
| home | [həʊm] | namai |
| homework | [ˈhəʊmwɜːk] | namų darbai |
| honey | [ˈhʌni] | medus |
| hood | [hʊd] | gobtuvas |
| Hooray! | [hʊˈreɪ] | Valio! |
| hop | [hɒp] | šokuoti |
| ✿ hopped | [hɒpt] | šokavo |
| hope | [həʊp] | viltis |
| hope | [həʊp] | tikėtis |
| ✿ hoped | [həʊpt] | tikėjosi |
| hopscotch | [ˈhɒpskɒtʃ] | “klasės” (žaidimas) |
| horn | [hɔːn] | ragas |
| horrible | [ˈhɒrəbl] | bjaurus, baisus |
| horror | [ˈhɒrə] | siaubas |
| horse | [hɔːs] | arklys |
| horse-chestnut | [ˌhɔːsˈtʃesnʌt] | kaštonas |
| horseman | [ˈhɔːsmən] | raitelis |
| horse-riding | [ˈhɔːsraɪdɪŋ] | jojimas |
| hospital | [ˈhɒspɪtl] | ligoninė |
| hot | [hɒt] | karštas |
| hot dog | [ˈhɒt dɒg] | dešrainis *amer.* |
| hotel | [həʊˈtel] | viešbutis |
| hour | [ˈaʊə] | valanda (*60 min.*) |
| house | [haʊs] | namas |
| housekeeper | [ˈhaʊskiːpə] | ūkvedys (*ne savininkas*) |
| housemaid | [ˈhaʊsmeɪd] | kambarinė |
| housewife | [ˈhaʊswaɪf] | namų šeimininkė |
| how | [haʊ] | kaip; kiek |
| How do you do! | [ˌhaʊ də jʊ ˈduː] | Malonu susipažinti! |

A a B b C c D d E e F f G g **H h** **I i** J j K k L l M m N n O o P p Q q R r S s T t U u V v W w X x Y y Z z

| | | |
|---|---|---|
| how many | [ˌhaʊ ˈmeni] | kiek daug *(su skaič. daiktav.)* |
| how much | [ˌhaʊ ˈmʌtʃ] | kiek daug (*su neskaič. daiktav.*) |
| how old | [ˌhaʊ ˈəʊld] | kiek metų |
| huge | [hjuːdʒ] | didžiulis |
| human being | [ˌhjuːmən ˈbiːɪŋ] | žmogus |
| humming-bird | [ˈhʌmɪŋbɜːd] | kolibris |
| hump | [hʌmp] | kupra |
| hundred | [ˈhʌndrəd] | šimtas |
| hundredth | [ˈhʌndrədθ] | šimtasis |
| ✿hung | | kabėjo (*būt. l.*) *žr.* h a n g |
| hungry | [ˈhʌŋgri] | alkanas |
| hunt | [hʌnt] | medžioti |
| ✿hunted | [ˈhʌntɪd] | medžiojo |
| hunter | [ˈhʌntə] | medžiotojas |
| Hurrah! | [hʊˈrɑː] | Valio! |
| hurricane | [ˈhʌrɪkən] | uraganas |
| hurry | [ˈhʌri] | skubėti |
| ✿hurried | [ˈhʌrɪd] | skubėjo |
| hurt | [hɜːt] | sužeisti |
| ✿hurt | [hɜːt] | sužeidė |
| husband | [ˈhʌzbənd] | vyras (*sutuoktinis*) |
| Hush! | [hʌʃ] | Ša! Tylėk! |

## I i

| | | |
|---|---|---|
| I | [aɪ] | aš |
| I am | [ˈaɪ əm] | aš esu |
| I'm fine! | [ˌaɪm ˈfaɪn] | Viskas gerai! |
| I'm sorry! | [ˌaɪm ˈsɒri] | Atsiprašau! |
| I've got | [aɪv ˈgɒt] | aš turiu |
| ✿I'd got | [aɪd ˈgɒt] | aš turėjau |
| ice | [aɪs] | ledas |
| ice-cream | [ˈaɪskriːm] | ledai (*valgomieji*) |

| | | |
|---|---|---|
| ice-hockey | ['aɪshɒki] | ledo ritulys |
| idea | [aɪ'dɪə] | mintis, idėja |
| if | [ɪf] | jeigu |
| ill | [ɪl] | sergantis |
| important | [ɪm'pɔːtnt] | svarbus |
| in | [ɪn] | į; *verčiamas vietininko linksniu* |
| in front of | [ɪn 'frʌnt əv] | priekyje |
| in pairs | [ɪn 'peəz] | poromis |
| in the middle of | [ɪn ðə 'mɪdl əv] | viduryje |
| in time | [ɪn 'taɪm] | laiku |
| inch | [ɪntʃ] | colis (*2,5 cm*) |
| inconsiderate | [ˌɪnkən'sɪdərət] | neatidus kitiems |
| India | ['ɪndɪə] | Indija |
| Indian | ['ɪndɪən] | indėnas; indėnų kalba |
| injection | [ɪn'dʒekʃn] | injekcija |
| ink | [ɪŋk] | rašalas |
| insect | ['ɪnsekt] | vabzdys |
| inside | [ɪn'saɪd] | vidinis |
| instruction | [ɪn'strʌkʃn] | instrukcija |
| instrument | ['ɪnstrəmənt] | instrumentas |
| intelligent | [ɪn'telɪdʒənt] | protingas |
| interesting | ['ɪntrɪstɪŋ] | įdomus |
| interview | ['ɪntəvjuː] | interviu |
| into | ['ɪntə] | į (*kryptis į vidų*) |
| invade | [ɪn'veɪd] | užgrobti, įsiveržti |
| ✿ invaded | [ɪn'veɪdɪd] | užgrobė, įsiveržė |
| invader | [ɪn'veɪdə] | grobikas, įsiveržėlis |
| invent | [ɪn'vent] | išrasti |
| ✿ invented | [ɪn'ventɪd] | išrado |
| invention | [ɪn'venʃn] | išradimas |
| investigate | [ɪn'vestɪgeɪt] | tirti |
| ✿ investigated | [ɪn'vestɪgeɪtɪd] | tyrė |
| invitation | [ˌɪnvɪ'teɪʃn] | pakvietimas |
| invite | [ɪn'vaɪt] | pakviesti |
| ✿ invited | [ɪn'vaɪtɪd] | pakvietė |

A a B b C c D d E e F f G g H h **I i** J j K k L l M m N n O o P p Q q R r S s T t U u V v W w X x Y y Z z

A a
B b
C c
D d
E e
F f
G g
H h
**I i**
**J j**
K k
L l
M m
N n
O o
P p
Q q
R r
S s
T t
U u
V v
W w
X x
Y y
Z z

| | | |
|---|---|---|
| Ireland | [ˈaɪələnd] | Airija |
| Irish Sea | [ˌaɪrɪʃ ˈsiː] | Airijos jūra |
| iron | [ˈaɪən] | geležis |
| is | [ɪz] | (jis, ji) yra |
| ✿ was | [wɒz], [wəz] | (jis, ji) buvo |
| is not (isn't) | [ɪz ˈnɒt] | (jos, jo) nėra |
| ✿ was not (wasn't) | [wəz ˈnɒt] | (jos, jo) nebuvo |
| island | [ˈaɪlənd] | sala |
| it | [ɪt] | jis, ji (*apie daiktą ir gyvūną*); tai |
| Italian | [ɪˈtælɪən] | italas; itališkas; italų kalba |
| Italy | [ˈɪtəli] | Italija |
| its | [ɪts] | jos, jo (*apie daiktą ir gyvūną*) |

## J j

| | | |
|---|---|---|
| jacket | [ˈdʒækɪt] | striukė, švarkas |
| jack-o-lantern | [ˌdʒækəˈlæntən] | žibintas iš moliūgo |
| jaguar | [ˈdʒægjʊə] | jaguaras |
| jam | [dʒæm] | uogienė |
| January | [ˈdʒænjʊəri] | sausis |
| Japan | [dʒəˈpæn] | Japonija |
| Japanese | [ˌdʒæpəˈniːz] | japonas, japoniškas; japonų kalba |
| jar | [dʒɑː] | stiklainis |
| jaw | [dʒɔː] | žandikaulis |
| jeans | [dʒiːnz] | džinsai |
| jelly | [ˈdʒeli] | želė (*drebučiai*) |
| jellyfish | [ˈdʒelifɪʃ] | medūza |
| jet | [dʒet] | reaktyvinis lėktuvas |
| jewellery | [ˈdʒuːəlri] | brangenybės |
| job | [dʒɒb] | darbas, tarnyba |
| join | [dʒɒɪn] | jungti |

| | | |
|---|---|---|
| ✿joined | [dʒɒɪnd] | jungė |
| joke | [dʒəʊk] | pokštas |
| journey | ['dʒɜːni] | kelionė |
| joy | [dʒɒɪ] | džiaugsmas |
| judge | [dʒʌdʒ] | teisėjas |
| judge | [dʒʌdʒ] | teisti |
| ✿judged | [dʒʌdʒd] | teisė |
| judo | ['dʒuːdəʊ] | dziudo |
| jug | [dʒʌg] | ąsotis |
| juggler | ['dʒʌglə] | žonglierius |
| juice | [dʒuːs] | sultys |
| July | [dʒuː'laɪ] | liepa |
| jump | [dʒʌmp] | šokinėti |
| ✿jumped | [dʒʌmpt] | šokinėjo |
| jumper | ['dʒʌmpə] | megztinis, džemperis |
| June | [dʒuːn] | birželis |
| jungle | ['dʒʌŋgl] | džiunglės |
| Jupiter | ['dʒuːpɪtə] | Jupiteris |
| just | [dʒʌst] | ką tik; tiesiog |

## K k

| | | |
|---|---|---|
| kangaroo | [ˌkæŋgə'ruː] | kengūra |
| keep | [kiːp] | laikyti, prižiūrėti, turėti |
| ✿kept | [kept] | laikė, prižiūrėjo, turėjo |
| ketchup | ['ketʃəp] | pomidorų padažas |
| kettle | ['ketl] | virdulys |
| key | [kiː] | raktas; klavišas |
| keyboard | ['kiːbɔːd] | klaviatūra |
| kick | [kɪk] | spirti |
| ✿kicked | [kɪkt] | spyrė |
| kid | [kɪd] | vaikas *šnek.*; ožiukas |

Aa Bb Cc Dd Ee Ff Gg Hh Ii Jj **Kk** **Ll** Mm Nn Oo Pp Qq Rr Ss Tt Uu Vv Ww Xx Yy Zz

| | | |
|---|---|---|
| kill | [kɪl] | nužudyti |
| ✿ killed | [kɪld] | nužudė |
| kilo | ['kiːləʊ] | kilogramas, kilometras *šnek.* |
| kilogram | ['kɪləgræm] | kilogramas |
| kilometre | ['kɪləmiːtə] | kilometras |
| kind | [kaɪnd] | malonus, meilus; rūšis (*veislė*) |
| king | [kɪŋ] | karalius |
| kingdom | ['kɪŋdəm] | karalystė |
| kiss | [kɪs] | bučiuoti(s) |
| ✿ kissed | [kɪst] | bučiavo(si) |
| kitchen | ['kɪtʃɪn] | virtuvė |
| kite | [kaɪt] | aitvaras |
| kitten | ['kɪtn] | kačiukas |
| knee | [niː] | kelis |
| kneel | [niːl] | klūpoti |
| ✿ knelt | [nelt] | klūpojo |
| knife | [naɪf] | peilis |
| knight | [naɪt] | riteris |
| knives | [naɪvz] | peiliai |
| knock | [nɒk] | belsti |
| ✿ knocked | [nɒkt] | beldė |
| know | [nəʊ] | žinoti |
| ✿ knew | [njuː] | žinojo |
| knuckle | ['nʌkl] | krumplys |

## L l

| | | |
|---|---|---|
| label | ['leɪbl] | žymeklis; etiketė |
| laboratory | [lə'bɒrətri] | laboratorija |
| labour | ['leɪbə] | darbas, triūsas |
| ladder | ['lædə] | kopėčios |
| lady | ['leɪdi] | ledi, ponia |
| ladybird | ['leɪdibɜːd] | boružė |

| | | |
|---|---|---|
| lake | [leɪk] | ežeras |
| lamb | [læm] | ėriukas |
| lamp | [læmp] | lempa |
| land | [lænd] | žemė, sausuma |
| land | [lænd] | nusileisti |
| ✿ landed | [ˈlændɪd] | nusileido |
| lane | [leɪn] | takelis (*siauras*) |
| language | [ˈlæŋgwɪdʒ] | kalba |
| large | [lɑːdʒ] | didelis, stambus |
| last | [lɑːst] | paskutinis |
| last | [lɑːst] | tęstis, trukti |
| ✿ lasted | [ˈlɑːstɪd] | tęsėsi, truko |
| late | [leɪt] | vėlus |
| lately | [ˈleɪtli] | neseniai |
| Latin | [ˈlætɪn] | lotynų kalba |
| Latvia | [ˈlætvɪə] | Latvija |
| Latvian | [ˈlætvɪən] | latvis; latviškas; latvių kalba |
| laugh | [lɑːf] | juoktis |
| ✿ laughted | [lɑːft] | juokėsi |
| launch | [lɔːntʃ] | paleisti raketą |
| ✿ launched | [lɔːntʃt] | paleido raketą |
| lava | [ˈlɑːvə] | lava |
| law | [lɔː] | įstatymas |
| lawn | [lɔːn] | pievelė (*dekoratyvinė*) |
| lay | [leɪ] | patiesti; paguldyti |
| ✿ laid | [leɪd] | patiesė; paguldė |
| lay the table | [ˌleɪ ðə ˈteɪbl] | padengti stalą |
| ✿ laid the table | [ˌleɪd ðə ˈteɪbl] | padengė stalą |
| layer | [ˈleɪə] | sluoksnis |
| lazy | [ˈleɪzi] | tingus |
| lead | [liːd] | vadovauti, vesti |
| ✿ led | [led] | vadovavo, vedė |
| leader | [ˈliːdə] | vadovas, vedlys |
| leaf | [liːf] | lapas |

A a B b C c D d E e F f G g H h I i J j K k **L l** M m N n O o P p Q q R r S s T t U u V v W w X x Y y Z z

| | | |
|---|---|---|
| lean | [li:n] | liesas |
| leap-year | ['li:pjɪə] | keliamieji metai |
| learn | [lɜ:n] | mokytis |
| ✿ learnt | [lɜ:nt] | mokėsi |
| least | [li:st] | mažiausias |
| leather | ['leðə] | oda (išdirbta) |
| leave | [li:v] | palikti |
| ✿ left | [left] | paliko |
| leaves | [li:vz] | lapai |
| ✿ led | | vadovavo (*būt. l.*) *žr.* l e a d |
| left | [left] | kairė |
| leg | [leg] | koja (*iki pėdos*) |
| lego | ['legəʊ] | lego (*žaislas*) |
| lemon | ['lemən] | citrina |
| lemonade | [ˌlemə'neɪd] | limonadas |
| lend | [lend] | paskolinti |
| ✿ lent | [lent] | paskolino |
| length | [leŋθ] | ilgis |
| leopard | ['lepəd] | leopardas |
| less | [less] | mažiau, mažesnis |
| lesson | ['lesn] | pamoka |
| let | [let] | leisti (*sutikti*) |
| ✿ let | [let] | leido (*sutiko*) |
| let's go | [lets 'gəʊ] | eime (*kviesti ką nors daryti*) |
| letter | ['letə] | raidė, laiškas |
| letterbox | ['letəbɒks] | pašto dėžutė |
| lettuce | ['letɪs] | salotos (*lapai*) |
| library | ['laɪbrəri] | biblioteka |
| lick | [lɪk] | laižyti |
| ✿ licked | [lɪkt] | laižė |
| lid | [lɪd] | dangtis |
| lie | [laɪ] | melas, apgavystė |
| lie | [laɪ] | gulėti |
| ✿ lay | [leɪ] | gulėjo |
| life | [laɪf] | gyvenimas |

| | | |
|---|---|---|
| lifeboat | ['laɪfbəʊt] | gelbėjimo valtis |
| lift | [lɪft] | liftas |
| lift | [lɪft] | pakelti |
| ✿ lifted | ['lɪftɪd] | pakėlė |
| light | [laɪt] | šviesa |
| light-bulb | ['laɪtbʌlb] | elektros lemputė |
| lighthouse | ['laɪthaʊs] | švyturys |
| lightning | ['laɪtnɪŋ] | žaibas |
| like | [laɪk] | kaip (*palyginant*) |
| like | [laɪk] | mėgti, patikti |
| ✿ liked | [laɪkt] | mėgo, patiko |
| lily | ['lɪli] | lelija |
| lily-of-the-valley | [ˌlɪlɪəvðə'væli] | pakalnutė |
| lime-tree | ['laɪmtri:] | liepa |
| limp | [lɪmp] | šlubas |
| line | [laɪn] | linija, brūkšnys |
| line | [laɪn] | išsirikiuoti |
| ✿ lined | [laɪnd] | išsirikiavo |
| liner | ['laɪnə] | keleivinis garlaivis ar lėktuvas |
| lining | ['laɪnɪŋ] | pamušalas |
| lion | ['laɪən] | liūtas |
| lip | [lɪp] | lūpa |
| list | [lɪst] | sąrašas |
| listen | ['lɪsn] | klausyti(s) |
| ✿ listened | ['lɪsnd] | klausė(si) |
| litas | ['lɪtəs] | litas |
| literary | ['lɪtərəri] | literatūrinis |
| literature | ['lɪtrətʃə] | literatūra |
| Lithuania | [ˌlɪθju:'eɪnɪə] | Lietuva |
| Lithuanian | [ˌlɪθju:'eɪnɪən] | lietuvis; lietuvių kalba, lietuviškas |
| litre | ['li:tə] | litras |
| little | ['lɪtl] | mažas, smulkus |
| live | [lɪv] | gyventi |
| ✿ lived | [lɪvd] | gyveno |

A a B b C c D d E e F f G g H h I i J j K k **L l** M m N n O o P p Q q R r S s T t U u V v W w X x Y y Z z

| | | |
|---|---|---|
| living-room | [ˈlɪvɪŋrʊm] | svetainė |
| lizard | [ˈlɪzəd] | driežas |
| llama | [ˈlɑːmə] | lama |
| load | [ləʊd] | krovinys |
| load | [ləʊd] | krauti |
| ✿ loaded | [ˈləʊdɪd] | krovė |
| loaf | [ləʊf] | kepalas |
| loaves | [ləʊvz] | kepalai |
| lobster | [ˈlɒbstə] | omaras |
| lock | [lɒk] | spyna |
| lock | [lɒk] | užrakinti |
| ✿ locked | [lɒkt] | užrakino |
| log | [lɒg] | rąstas |
| London | [ˈlʌndn] | Londonas |
| lonely | [ˈləʊnli] | vienišas |
| long | [lɒŋ] | ilgas |
| look | [lʊk] | žiūrėti |
| ✿ looked | [lʊkt] | žiūrėjo |
| look after | [ˌlʊk ˈɑːftə] | prižiūrėti |
| ✿ looked after | [ˌlʊkt ˈɑːftə] | prižiūrėjo |
| look for | [ˌlʊk ˈfɔː] | ieškoti |
| ✿ looked for | [ˌlʊkt ˈfɔː] | ieškojo |
| lorry | [ˈlɒri] | sunkvežimis |
| lose | [luːz] | pamesti |
| ✿ lost | [lɒst] | pametė |
| lot of | [ˈlɒt əv] | daugybė |
| lottery | [ˈlɒtəri] | loterija |
| loud | [laʊd] | garsus |
| love | [lʌv] | meilė |
| love | [lʌv] | mylėti |
| ✿ loved | [lʌvd] | mylėjo |
| lovely | [ˈlʌvli] | mielas, gražus |
| low | [ləʊ] | žemas |
| luck | [lʌk] | laimė, sėkmė |
| lucky | [ˈlʌki] | laimingas (*dėl sėkmės*) |

| | | |
|---|---|---|
| luggage | ['lʌgɪdʒ] | bagažas |
| lunch | [lʌntʃ] | pietūs |
| lung | [lʌŋ] | plautis (*kūno organas*) |

## M m

| | | |
|---|---|---|
| machine | [mə'ʃiːn] | mašina |
| made of | ['meɪd əv] | pagamintas iš |
| magazine | [ˌmægə'ziːn] | žurnalas (*periodinis*) |
| magic | ['mædʒɪk] | stebuklas, burtai |
| magic trick | [ˌmædʒɪk 'trɪk] | fokusas |
| magician | [mə'dʒɪʃn] | burtininkas, fokusininkas |
| magpie | ['mægpaɪ] | šarka |
| might | [maɪt] | galėjo (*abejojant*) |
| mail | [meɪl] | paštas (*korespondencija*) |
| make | [meɪk] | gaminti |
| ✿ made | [meɪd] | gamino |
| make a mistake | [ˌmeɪk ə mɪ'steɪk] | padaryti klaidą |
| ✿ made a mistake | [ˌmeɪd ə mɪ'steɪk] | padarė klaidą |
| male | [meɪl] | vyras (*lytis*); patinas |
| mammal | ['mæml] | žinduolis |
| man | [mæn] | vyras, žmogus |
| many | ['meni] | daug (*su skaič. daiktav.*) |
| map | [mæp] | žemėlapis |
| maple | ['meɪpl] | klevas |
| marathon | ['mærəθən] | maratonas |
| marbles | ['mɑːblz] | vaikų žaidimas rutuliukais |
| march | [mɑːtʃ] | žygiuoti |
| ✿ marched | [mɑːtʃt] | žygiavo |

| | | |
|---|---|---|
| March | [mɑːtʃ] | kovas (*mėnuo*) |
| mark | [mɑːk] | pažymys; žymė |
| mark | [mɑːk] | žymėti |
| ✿ marked | [mɑːkt] | žymėjo |
| marker | [ˈmɑːkə] | žymeklis |
| market | [ˈmɑːkɪt] | turgus |
| marriage | [ˈmærɪdʒ] | santuoka |
| marry | [ˈmæri] | vesti, ištekėti |
| ✿ married | [ˈmærɪd] | vedė, ištekėjo |
| Mars | [mɑːz] | Marsas |
| mask | [mɑːsk] | kaukė |
| mat | [mæt] | kilimėlis |
| match | [mætʃ] | degtukas; rungtynės |
| match | [mætʃ] | suderinti |
| ✿ matched | [mætʃt] | suderino |
| mathematics | [ˌmæθəˈmætɪks] | matematika |
| maths | [mæθs] | matematika *šnek.* |
| mattress | [ˈmætrɪs] | čiužinys |
| may | [meɪ] | galėti (*prašant*) |
| ✿ might | [maɪt] | galėjo (*abejojant*) |
| May | [meɪ] | gegužė |
| me | [miː], [mɪ] | man, mane |
| meadow | [ˈmedəʊ] | pieva |
| meal | [miːl] | valgis |
| mean | [miːn] | reikšti |
| ✿ meant | [ment] | reiškė |
| meaning | [ˈmiːnɪŋ] | reikšmė |
| meanwhile | [ˈmiːnwaɪl] | tuo tarpu |
| measure | [ˈmeʒə] | matuoti |
| ✿ measured | [ˈmeʒəd] | matavo |
| meat | [miːt] | mėsa |
| medal | [ˈmedl] | medalis |
| medicine | [ˈmedsn] | vaistai |
| medium | [ˈmiːdɪəm] | vidutinis |
| meet | [miːt] | sutikti |
| ✿ met | [met] | sutiko |

| | | |
|---|---|---|
| mellow | ['meləʊ] | prinokęs |
| melon | ['melən] | melionas |
| melt | [melt] | tirpti |
| ✿ melted | ['meltɪd] | tirpo |
| member | ['membə] | narys |
| men | [men] | vyrai, žmonės |
| mend | [mend] | adyti, lopyti |
| ✿ mended | ['mendɪd] | adė, lopė |
| menu | ['menjuː] | valgiaraštis |
| merchant | ['mɜːtʃənt] | pirklys |
| Mercury | ['mɜːkjʊri] | Merkurijus |
| mermaid | ['mɜːmeɪd] | undinėlė |
| merrily | ['merɪli] | linksmai |
| merry | ['meri] | linksmas, džiugus |
| merry-go-round | ['merigəʊraʊnd] | karuselė |
| mess | [mes] | netvarka |
| message | ['mesɪdʒ] | pranešimas, žinutė |
| metal | ['metl] | metalas |
| metre | ['miːtə] | metras |
| Mexican | ['meksɪkən] | meksikietis; meksikietiškas |
| Mexico | ['meksɪkəʊ] | Meksika |
| mice | [maɪs] | pelės |
| microphone | ['maɪkrəfəʊn] | mikrofonas |
| microwave oven | [ˌmaɪkrəweɪv 'ʌvn] | mikrobangų krosnelė |
| midday | [ˌmɪd'deɪ] | vidurdienis |
| middle | ['mɪdl] | vidurys |
| midnight | ['mɪdnaɪt] | vidurnaktis |
| ✿ might | | galėjo (*būt. l.*) *žr.* m a y |
| mike | [maɪk] | mikrofonas *šnek.* |
| mild | [maɪld] | švelnus (*klimatas*) |

A a
B b
C c
D d
E e
F f
G g
H h
I i
J j
K k
L l
**M m**
N n
O o
P p
Q q
R r
S s
T t
U u
V v
W w
X x
Y y
Z z

| | | |
|---|---|---|
| mile | [maɪl] | mylia |
| milk | [mɪlk] | pienas |
| milkshake | [ˈmɪlkʃeɪk] | pieno kokteilis |
| Milky Way | [ˌmɪlki ˈweɪ] | Paukščių Takas |
| million | [ˈmɪljən] | milijonas |
| millionaire | [ˌmɪljəˈneə] | milijonierius |
| mine | [maɪn] | mano (*be daiktav.*) |
| miniskirt | [ˈmɪniskɜːt] | mini sijonas |
| minus | [ˈmaɪnəs] | minusas |
| minute | [ˈmɪnɪt] | minutė |
| mirror | [ˈmɪrə] | veidrodis |
| miserable | [ˈmɪzərəbl] | nelaimingas, pasigailėtinas |
| Miss | [mɪs] | panelė |
| miss | [mɪs] | praleisti |
| ✿ missed | [mɪst] | praleido |
| mistake | [mɪˈsteɪk] | klaida |
| mitten | [ˈmɪtn] | kumštinė pirštinė |
| mix | [mɪks] | maišyti |
| ✿ mixed | [mɪkst] | maišė |
| mobile phone | [ˌməʊbaɪl ˈfəʊn] | mobilus telefonas |
| model | [ˈmɒdl] | modelis |
| modern | [ˈmɒdən] | modernus, šiuolaikiškas |
| mole | [məʊl] | kurmis |
| Monday | [ˈmʌndeɪ] [ˈmʌndi] | pirmadienis |
| money | [ˈmʌni] | pinigai |
| monkey | [ˈmʌŋki] | beždžionė |
| monster | [ˈmɒnstə] | pabaisa |
| month | [mʌnθ] | mėnuo |
| moon | [muːn] | mėnulis |
| mop | [mɒp] | plaušinė |
| more | [mɔː] | daugiau |
| morning | [ˈmɔːnɪŋ] | rytas |

| | | |
|---|---|---|
| moss | [mɒs] | samanos |
| most | [məʊst] | daugiausia |
| mother | [ˈmʌðə] | motina |
| mother-tongue | [ˈmʌðətʌŋ] | gimtoji kalba |
| motorbike | [ˈməʊtəbaɪk] | motociklas |
| motorway | [ˈməʊtəweɪ] | autostrada |
| mount | [maʊnt] | kopti |
| ✿ mounted | [ˈmaʊntɪd] | kopė |
| mountain | [ˈmaʊntɪn] | kalnas |
| mountain ash | [ˈmaʊntɪn æʃ] | šermukšnis |
| mouse | [maʊs] | pelė |
| moustache | [məˈstɑːʃ] | ūsai |
| mouth | [maʊθ] | burna |
| move | [muːv] | judėti |
| ✿ moved | [muːvd] | judėjo |
| Mr | [ˈmɪstə] | ponas |
| Mrs | [ˈmɪsɪz] | ponia |
| Ms | [mɪz] | ponia arba panelė |
| much | [mʌtʃ] | daug (*su neskaič. daiktav.*) |
| muffin | [ˈmʌfɪn] | sviestinė bandelė |
| mug | [mʌg] | puodelis arbatai |
| multiply | [ˈmʌltɪplaɪ] | dauginti *mat.* |
| ✿ multiplied | [ˈmʌltɪplaɪd] | daugino *mat.* |
| mum | [mʌm] | mama *šnek.* |
| mummy | [ˈmʌmi] | mamytė |
| murder | [ˈmɜːdə] | žmogžudystė |
| murder | [ˈmɜːdə] | žudyti |
| ✿ murdered | [ˈmɜːdəd] | žudė |
| museum | [mjuːˈzɪəm] | muziejus |
| mushroom | [ˈmʌʃrʊm] | grybas |
| music | [ˈmjuːzɪk] | muzika, muzikos pamoka |
| musical | [ˈmjuːzɪkl] | melodingas |
| musical theatre | [ˈmjuːzɪkl θɪətə] | muzikinis teatras |
| must | [mʌst], [məst] | privalėti (būtinumas) |

| | | |
|---|---|---|
| mustn't (must not) | [ˈmʌsnt] | negalima (*draudimas*) |
| mustard | [ˈmʌstəd] | garstyčios |
| mute | [mjuːt] | nebylus |
| my | [maɪ] | mano (*su daiktav.*) |
| myself | [maɪˈself] | aš pats (vienas), aš pati (viena) |
| mystery | [ˈmɪstəri] | paslaptis |

## N n

| | | |
|---|---|---|
| nail | [neɪl] | nagas; vinis |
| name | [neɪm] | vardas |
| nanny | [ˈnæni] | auklė |
| nap | [næp] | pogulis |
| narrow | [ˈnærəʊ] | siauras |
| nasty | [ˈnɑːsti] | bjaurus |
| National day | [ˌnæʃnəl ˈdeɪ] | tautos šventė |
| nature | [ˈneɪtʃə] | gamta; gamtos pamoka |
| naughty | [ˈnɔːti] | išdykęs |
| near | [nɪə] | arti |
| nearly | [ˈnɪəli] | beveik |
| neat | [niːt] | švarus, tvarkingas |
| neck | [nek] | kaklas |
| necklace | [ˈneklɪs] | vėrinys, karoliai |
| need | [niːd] | reikėti |
| ✿ needed | [ˈniːdɪd] | reikėjo |
| needle | [ˈniːdl] | adata |
| needn't | [ˈniːdnt] | nereikia (*neprivaloma*) |
| neighbour | [ˈneɪbə] | kaimynas |
| neither | [ˈnaɪðə] | nei vienas (*iš dviejų*) |
| nephew | [ˈnevjuː] | sūnėnas |
| nest | [nest] | lizdas |

| | | |
|---|---|---|
| net | [net] | tinklas |
| never | [ˈnevə] | niekada |
| new | [njuː] | naujas |
| New Year | [ˌnjuː ˈjɪə] | Nauji metai |
| New York | [ˌnjuː ˈjɔːk] | Niujorkas |
| news | [njuːz] | naujienos |
| newsagent | [ˈnjuːzeɪdʒənt] | spaudos pardavėjas |
| newspaper | [ˈnjuːspeɪpə] | laikraštis |
| newsstand | [ˈnjuːzstænd] | laikraščių kioskas |
| next | [nekst] | kitas (*ateinantis*) |
| next to | [ˈnekst tə] | šalia, greta |
| nice | [naɪs] | gražus, geras, malonus |
| nickname | [ˈnɪkneɪm] | pravardė |
| niece | [niːs] | dukterėčia |
| night | [naɪt] | naktis |
| nightingale | [ˈnaɪtɪŋgeɪl] | lakštingala |
| nine | [naɪn] | devyni |
| nineteen | [ˌnaɪnˈtiːn] | devyniolika |
| nineteenth | [ˌnaɪnˈtiːnθ] | devynioliktas |
| ninetieth | [ˈnaɪntɪəθ] | devyniasdešimtas |
| ninety | [ˈnaɪnti] | devyniasdešimt |
| ninth | [naɪnθ] | devintas |
| no | [nəʊ] | ne |
| nobody | [ˈnəʊbədi] | niekas (*apie žmogų*) |
| nod | [nɒd] | linktelėti |
| ✿ nodded | [ˈnɒdɪd] | linktelėjo |
| noise | [nɒɪz] | triukšmas |
| noisily | [ˈnɒɪzɪli] | triukšmingai |
| none | [nʌn] | nė vienas (*niekas*) |
| noodles | [ˈnuːdlz] | makaronai |
| noon | [nuːn] | vidurdienis, pusiaudienis |
| north | [nɔːθ] | šiaurė |
| northern | [ˈnɔːðən] | šiaurinis |
| nose | [nəʊz] | nosis |
| nostrils | [ˈnɒstrəlz] | šnervės |

A a
B b
C c
D d
E e
F f
G g
H h
I i
J j
K k
L l
M m
N n
O o
P p
Q q
R r
S s
T t
U u
V v
W w
X x
Y y
Z z

| | | |
|---|---|---|
| not | [nɒt] | ne (*neiginys prie veiksm.*) |
| note | [nəʊt] | raštelis, pastaba |
| nothing | ['nʌθɪŋ] | niekas (*apie daiktą*) |
| notice | ['nəʊtɪs] | skelbimas |
| notice | ['nəʊtɪs] | pastebėti |
| ✿ noticed | ['nəʊtɪst] | pastebėjo |
| noticeboard | ['nəʊtɪsbɔːd] | skelbimų lenta |
| nought | [nɔːt] | nulis, niekas |
| noun | [naʊn] | daiktavardis |
| November | [nəʊ'vembə] | lapkritis |
| now | [naʊ] | dabar |
| number | ['nʌmbə] | skaičius |
| nurse | [nɜːs] | seselė (*medicinos*); auklė |
| nut | [nʌt] | riešutas |
| nutcracker | ['nʌtkrækə] | riešutų spaustukai |

## O o

| | | |
|---|---|---|
| oak | [əʊk] | ąžuolas |
| oar | [ɔː] | irklas |
| object | ['ɒbdʒɪkt] | dalykas |
| observatory | [əb'zɜːvətri] | observatorija |
| ocean | ['əʊʃn] | vandenynas |
| o'clock | [ə'klɒk] | valanda (*pagal laikrodį*) |
| October | [ɒk'təʊbə] | spalis |
| octopus | ['ɒktəpəs] | aštuonkojis |
| of | [əv] | prielinksnis (*žymi priklausomumą*) |
| of course | [əv 'kɔːs] | aišku, žinoma |
| off | [ɒf] | prielinksnis (*žymi nutolimą*) |
| office | ['ɒfɪs] | įstaiga |

| | | |
|---|---|---|
| officer | [ˈɒfɪsə] | pareigūnas |
| office-worker | [ˈɒfɪswɜːkə] | tarnautojas |
| often | [ˈɒfn] | dažnai |
| oil | [ɒɪl] | aliejus; nafta |
| OK! | [ˌəʊ ˈkeɪ] | Gerai! |
| old | [əʊld] | senas |
| olive | [ˈɒlɪv] | alyva (*vaisius*) |
| olympic | [ɒˈlɪmpɪk] | olimpinis |
| Olympic Games | [ɒˈlɪmpɪk ˌgeɪmz] | Olimpinės žaidynės |
| on | [ɒn] | ant |
| on duty | [ɒn ˈdjuːti] | budintis |
| on foot | [ɒn ˈfʊt] | pėsčiomis |
| on holiday | [ɒn ˈhɒlədeɪ] [ɒn ˈhɒlədi] | atostogauti |
| once | [wʌns] | vieną kartą |
| one | [wʌn] | vienas |
| onion | [ˈʌnjən] | svogūnas |
| only | [ˈəʊnli] | tik |
| onto | [ˈɒntə] | ant (*žymint kryptį*) |
| Oops! | [uːps] | Oi! |
| open | [ˈəʊpn] | atidaryti |
| ✿ opened | [ˈəʊpnd] | atidarė |
| opera and ballet theatre | [ˈɒpərə ənd ˈbæleɪ θɪətə] | operos ir baleto teatras |
| opera house | [ˈɒpərə haʊs] | operos teatras |
| opposite | [ˈɒpəzɪt] | priešais |
| or | [ɔː] | arba |
| orange | [ˈɒrɪndʒ] | apelsinas |
| orbit | [ˈɔːbɪt] | orbita |
| ordinary | [ˈɔːdnri] | įprastas |
| original | [ɒˈrɪdʒənl] | originalus |
| originated | [ɒˈrɪdʒɪneɪtɪd] | kilęs |
| ostrich | [ˈɒstrɪtʃ] | strutis |
| other | [ˈʌðə] | kitas (*anas*) |
| ounce | [aʊns] | lūšis |
| our | [ˈaʊə] | mūsų (*su daiktav.*) |

| | | |
|---|---|---|
| ours | ['aʊəz] | mūsų (*be daiktav.*) |
| ourselves | [aʊə'selvz] | mes patys (*vieni*) |
| out | [aʊt] | išorėje; iš (*žymint veiksmo kryptį*) |
| out-of-doors | [ˌaʊtəv'dɔːz] | lauke (*išorinė pusė*) |
| outside | [ˌaʊt'saɪd] | lauke |
| oval | ['əʊvəl] | ovalus |
| oven | ['ʌvn] | orkaitė |
| over | ['əʊvə] | virš |
| over there | [ˌəʊvə 'ðeə] | štai ten |
| overalls | ['əʊvərɔːlz] | kombinezonas |
| overcoat | ['əʊvəkəʊt] | paltas |
| owl | [aʊl] | pelėda |
| own | [əʊn] | nuosavas |
| ox | [ɒks] | jautis |
| oxen | ['ɒksn] | jaučiai |

## P p

| | | |
|---|---|---|
| p.m. | [ˌpəʊst mə'rɪdɪəm] | popiet *lot.* |
| pa | [pɑː] | tėtis, tėvelis *šnek.* |
| packet | ['pækɪt] | paketas |
| paddle | ['pædl] | irklas (*baidarės*) |
| page | [peɪdʒ] | puslapis |
| ✿ paid | | mokėjo (*būt. l.*) pay |
| pain | [peɪn] | skausmas |
| paintbrush | ['peɪntbrʌʃ] | teptukas |
| paint | [peɪnt] | dažai |
| paint | [peɪnt] | dažyti |
| ✿ painted | ['peɪntɪd] | dažė |
| painting | ['peɪntɪŋ] | paveikslas |
| pair | [peə] | pora |
| palace | ['pælɪs] | pilis, rūmai |
| pale | [peɪl] | išblyškęs, blyškus |

|  |  |  |
|---|---|---|
| palm | [pɑːm] | delnas |
| palm tree | ['pɑːm triː] | palmė |
| pan | [pæn] | keptuvė |
| pancake | ['pænkeɪk] | blynas |
| panda | ['pændə] | panda |
| pansy | ['pænzi] | našlaitė *bot.* |
| pants | [pænts] | kelnės *amer.* |
| paper | ['peɪpə] | popierius |
| paperclip | ['peɪpəklɪp] | sąvaržėlė |
| parachute | ['pærəʃuːt] | parašiutas |
| parcel | ['pɑːsl] | siuntinys |
| Pardon! | ['pɑːdn] | Atsiprašau! |
| parents | ['peərənts] | tėvai |
| park | [pɑːk] | parkas |
| parking | ['pɑːkɪŋ] | automobilių stovėjimo vieta |
| parrot | ['pærət] | papūga |
| parsnip | ['pɑːsnɪp] | pastarnokas |
| part | [pɑːt] | dalis |
| partner | ['pɑːtnə] | partneris |
| party | ['pɑːti] | vakarėlis (*pasilinksminimas*) |
| pass | [pɑːs] | praeiti |
| ✿ passed | [pɑːst] | praėjo |
| passenger | ['pæsɪndʒə] | keleivis |
| passerby | [ˌpɑːsə'baɪ] | praeivis |
| passport | ['pɑːspɔːt] | pasas |
| past | [pɑːst] | po; praeitis |
| paste | [peɪst] | tešla; pasta |
| path | [pɑːθ] | takas |
| patient | ['peɪʃnt] | kantrus |
| pavement | ['peɪvmənt] | šaligatvis |
| paw | [pɔː] | letena |
| pay | [peɪ] | (už)mokėti |
| ✿ paid | [peɪd] | (už)mokėjo |
| pea | [piː] | žirnis |

A a B b C c D d E e F f G g H h I i J j K k L l M m N n O o **P p** Q q R r S s T t U u V v W w X x Y y Z z

| | | |
|---|---|---|
| peace | [piːs] | taika |
| peach | [piːtʃ] | persikas |
| peacock | [ˈpiːkɒk] | povas |
| pear | [peə] | kriaušė |
| peel | [piːl] | lupti |
| ✿ peeled | [piːld] | lupo |
| pelican | [ˈpelɪkən] | pelikanas |
| pen | [pen] | parkeris |
| pence | [pens] | pensas |
| pencil | [ˈpensl] | pieštukas |
| pencil-case | [ˈpenslkeɪs] | penalas |
| pencil-box | [ˈpenslbɒks] | pieštukų dėžė, penalas |
| pen-friend | [ˈpenfrend] | susirašinėjimo draugas |
| pencil-sharpener | [ˈpenslʃɑːpənə] | drožtukas |
| penguin | [ˈpeŋgwɪn] | pingvinas |
| penknife | [ˈpennaɪf] | kišeninis peiliukas |
| people | [ˈpiːpl] | žmonės |
| pepper | [ˈpepə] | pipirai |
| per hour | [pər ˈaʊə] | per valandą |
| per second | [pə ˈsekənd] | per sekundę |
| per cent | [pə ˈsent] | procentas |
| perch | [pɜːtʃ] | ešerys |
| performance | [pəˈfɔːməns] | pasirodymas (*spektaklis*) |
| perhaps | [pəˈhæps] | galbūt |
| person | [ˈpɜːsn] | asmuo; žmogaus |
| pet | [pet] | augintinis (*gyvūnėlis*) |
| pet shop | [ˈpet ʃɒp] | gyvūnėlių parduotuvė |
| petal | [ˈpetl] | vainiklapis, žiedlapis |
| petrol | [ˈpetrəl] | benzinas |
| petrol station | [ˈpetrəl steɪʃn] | degalinė |
| petticoat | [ˈpetɪkəʊt] | apatinis sijonas |
| Pharaoh | [ˈfeərəʊ] | faraonas |
| physical education | [ˌfɪzɪkl ˌedʒʊˈkeɪʃn] | kūno kultūra |

| | | |
|---|---|---|
| physical training | [ˌfɪzɪkl ˈtreɪnɪŋ] | fizinis lavinimas |
| phone | [fəʊn] | skambinti (*telefonu*) |
| ✿ phoned | [fəʊnd] | skambino |
| phonetic | [fəˈnetɪk] | fonetinis |
| photo | [ˈfəʊtəʊ] | nuotrauka *šnek.* |
| photograph | [ˈfəʊtəgrɑːf] | nuotrauka |
| photographer | [fəˈtɒgrəfə] | fotografas |
| photography | [fəˈtɒgrəfi] | fotografavimas |
| piano | [pɪˈænəʊ] | pianinas |
| pick | [pɪk] | rinkti |
| ✿ picked | [pɪkt] | rinko |
| picnic | [ˈpɪknɪk] | iškyla |
| picture | [ˈpɪktʃə] | nuotrauka *amer.*; paveikslas |
| pie | [paɪ] | pyragas |
| piece | [piːs] | gabalėlis |
| pig | [pɪg] | kiaulė |
| pigeon | [ˈpɪdʒɪn] | balandis (*paukštis*) |
| piglet | [ˈpɪglɪt] | paršiukas |
| pike | [paɪk] | lydeka |
| pill | [pɪl] | piliulė |
| pillow | [ˈpɪləʊ] | pagalvė |
| pilot | [ˈpaɪlət] | pilotas |
| pin | [pɪn] | smeigtukas |
| pine | [paɪn] | pušis |
| pineapple | [ˈpaɪnæpl] | ananasas |
| ping-pong | [ˈpɪŋpɒŋ] | stalo teniso kamuoliukas |
| pink | [pɪŋk] | rožinis |
| pirate | [ˈpaɪərət] | piratas |
| pizza | [ˈpiːtsə] | pica |
| place | [pleɪs] | vieta |
| plain | [pleɪn] | paprastas |
| plait | [plæt] | kasa (*plaukų*) |
| plan | [plæn] | planas |
| plane | [pleɪn] | lėktuvas |

Aa Bb Cc Dd Ee Ff Gg Hh Ii Jj Kk Ll Mm Nn Oo **Pp** Qq Rr Ss Tt Uu Vv Ww Xx Yy Zz

| | | |
|---|---|---|
| planet | [ˈplænɪt] | planeta |
| plant | [plɑːnt] | augalas |
| plant | [plɑːnt] | sodinti |
| ✿planted | [ˈplɑːntɪd] | sodino |
| plastic | [ˈplæstɪk] | plastmasė |
| plasticine | [ˈplæstɪsiːn] | plastilinas |
| plate | [pleɪt] | lėkštė |
| play | [pleɪ] | žaisti |
| ✿played | [pleɪd] | žaidė |
| player | [ˈpleɪə] | žaidėjas |
| playground | [ˈpleɪgraʊnd] | žaidimų aikštė |
| playroom | [ˈpleɪrʊm] | žaidimų kambarys |
| pleasant | [ˈpleznt] | malonus, smagus |
| Please! | [pliːz] | prašant, skatinant, leidžiant (*daryti*) |
| please | [pliːz] | teikti malonumo |
| ✿pleased | [pliːzd] | teikė malonumo |
| pleased | [pliːzd] | patenkintas |
| pliers | [ˈplaɪəz] | replės |
| plum | [plʌm] | slyva |
| plump | [plʌmp] | apkūni (*apie moterį*) |
| plus | [plʌs] | pliusas |
| Pluto | [ˈpluːtəʊ] | Plutonas |
| pocket | [ˈpɒkɪt] | kišenė |
| pocket-money | [ˈpɒkɪtmʌni] | kišenpinigiai |
| poem | [ˈpəʊɪm] | eilėraštis (*poema*) |
| point | [pɒɪnt] | rodyti (į) |
| ✿pointed | [ˈpɒɪntɪd] | rodė |
| poison | [ˈpɒɪzn] | nuodai |
| Poland | [ˈpəʊlənd] | Lenkija |
| Pole | [pəʊl] | lenkas |
| pole | [pəʊl] | stiebas |
| police | [pəˈliːs] | policija |
| police station | [pəˈliːs ˌsteɪʃn] | policijos nuovada |
| policeman | [pəˈliːsmən] | policininkas |
| polish | [ˈpɒlɪʃ] | lakas |

| | | |
|---|---|---|
| polish | ['pɒlɪʃ] | lakuoti, blizginti |
| ✿ polished | ['pɒlɪʃt] | lakavo, blizgino |
| polite | [pə'laɪt] | mandagus |
| politely | [pə'laɪtli] | mandagiai |
| pond | [pɒnd] | tvenkinys |
| pony | ['pəʊni] | ponis |
| ponytail | ['pəʊniteɪl] | surišti į uodegą plaukai |
| pool | [pu:l] | baseinas |
| poor | [pʊə] | varganas |
| pop | [pɒp] | pokšėti |
| ✿ popped | [pɒpt] | pokšėjo |
| popcorn | ['pɒpkɔ:n] | kukurūzų spragėsiai |
| poppy | ['pɒpi] | aguona |
| popular | ['pɒpjʊlə] | populiarus |
| porch | [pɔ:tʃ] | veranda *amer.* |
| Portugal | ['pɔ:tʃʊgl] | Portugalija |
| Portuguese | [ˌpɔ:tʃʊ'gi:z] | portugalas; portugališkas; portugalų kalba |
| possible | ['pɒsəbl] | galimas |
| post | [pəʊst] | siųsti paštu |
| ✿ posted | ['pəʊstɪd] | siuntė paštu |
| post-office | ['pəʊstɒfɪs] | paštas (*skyrius*) |
| postbox | ['pəʊstbɒks] | pašto dėžutė |
| postcard | ['pəʊstkɑ:d] | atvirutė |
| poster | ['pəʊstə] | plakatas |
| postman | ['pəʊstmən] | laiškanešys |
| pot | [pɒt] | puodas |
| potato | [pə'teɪtəʊ] | bulvė |
| pound | [paʊnd] | svaras |
| pour | [pɔ:] | pilti |
| ✿ poured | [pɔ:d] | pylė |
| powerful | ['paʊəfəl] | galingas |
| practice | ['præktɪs] | pratybos, treniruotė |
| pray | [preɪ] | melstis |
| ✿ prayed | [preɪd] | meldėsi |
| prefer | [prɪ'fɜ:] | teikti pirmenybę |

| | | |
|---|---|---|
| ✿ preferred | [prɪˈfɜːd] | teikė pirmenybę |
| preposition | [ˌprepəˈzɪʃn] | prielinksnis |
| present | [ˈpreznt] | dovana; dabartinis |
| press | [pres] | spausti |
| ✿ pressed | [prest] | spaudė |
| pretend | [prɪˈtend] | apsimesti, pretenduoti |
| ✿ pretended | [prɪˈtendɪd] | apsimetė, pretendavo |
| pretty | [ˈprɪti] | graži (*apie moterį*) |
| price | [praɪs] | kaina |
| prick | [prɪk] | dūris |
| prick | [prɪk] | įsidurti |
| ✿ pricked | [prɪkt] | įsidūrė |
| prickle | [ˈprɪkl] | spyglys, dyglys |
| prickly | [ˈprɪkli] | dygliuotas |
| primary | [ˈpraɪməri] | pradinis |
| prince | [prɪns] | princas |
| princess | [ˌprɪnˈses] | princesė |
| principal | [ˈprɪnsəpl] | direktorius (*mokyklos*) |
| print | [prɪnt] | spausdinti |
| ✿ printed | [ˈprɪntɪd] | spausdino |
| printer | [ˈprɪntə] | spausdintuvas |
| prison | [ˈprɪzn] | kalėjimas |
| prisoner | [ˈprɪznə] | kalinys |
| prize | [praɪz] | prizas |
| professor | [prəˈfesə] | profesorius |
| programme | [ˈprəʊɡræm] | programa |
| project | [ˈprɒdʒekt] | projektas |
| promise | [ˈprɒmɪs] | pažadas |
| promise | [ˈprɒmɪs] | žadėti |
| ✿ promised | [ˈprɒmɪst] | žadėjo |
| pronoun | [ˈprəʊnaʊn] | įvardis |
| proud | [praʊd] | išdidus |
| proverb | [ˈprɒvɜːb] | patarlė |
| pudding | [ˈpʊdɪŋ] | pudingas |
| puddle | [ˈpʌdl] | bala |
| pull | [pʊl] | traukti |
| ✿ pulled | [pʊld] | traukė |

| | | |
|---|---|---|
| pullover | [ˈpʊləʊvə] | megztinis (*velkamas per galvą*) |
| puma | [ˈpjuːmə] | puma |
| pump | [pʌmp] | pompa |
| pump | [pʌmp] | pumpuoti |
| ✿ pumped | [pʌmpt] | pumpavo |
| pumpkin | [ˈpʌmpkɪn] | moliūgas |
| punch | [pʌntʃ] | kumščiuotis |
| ✿ punched | [pʌntʃt] | kumščiavosi |
| punish | [ˈpʌnɪʃ] | bausti |
| ✿ punished | [ˈpʌnɪʃt] | baudė |
| pupil | [ˈpjuːpl] | mokinys |
| puppet | [ˈpʌpɪt] | lėlė (*apie teatrą*) |
| puppet theatre | [ˈpʌpɪt θɪətə] | lėlių teatras |
| purple | [ˈpɜːpl] | purpurinis, raudonas |
| purr | [pɜː] | murkti |
| ✿ purred | [pɜːd] | murkė |
| purse | [pɜːs] | piniginė |
| push | [pʊʃ] | stumti |
| ✿ pushed | [pʊʃt] | stūmė |
| pussy | [ˈpʊsi] | katytė |
| put | [pʊt] | dėti |
| ✿ put | [pʊt] | dėjo |
| put off | [ˌpʊt ˈɒf] | atidėti |
| ✿ put off | [ˌpʊt ˈɒf] | atidėjo |
| put on | [ˌpʊt ˈɒn] | apsirengti |
| ✿ put on | [ˌpʊt ˈɒn] | apsirengė |
| put out | [ˌpʊt ˈaʊt] | išvaryti |
| ✿ put out | [ˌpʊt ˈaʊt] | išvarė |
| puzzle | [ˈpʌzl] | galvosūkis |
| pyjamas | [pəˈdʒɑːməz] | pižama |
| pyramid | [ˈpɪrəmɪd] | piramidė |

## Q q

| | | |
|---|---|---|
| quail | [kweɪl] | kurapka |
| quarrel | [ˈkwɒrəl] | ginčas |

A a B b C c D d E e F f G g H h I i J j K k L l M m N n O o **P p** **Q q** R r S s T t U u V v W w X x Y y Z z

| | | |
|---|---|---|
| quarrel | ['kwɒrəl] | ginčytis |
| ✿ quarrelled | ['kwɒrəld] | ginčijosi |
| quarter | ['kwɔːtə] | ketvirtis |
| queen | [kwiːn] | karalienė |
| question | ['kwestʃən] | klausimas |
| queue | [kjuː] | eilė |
| quick | [kwɪk] | vikrus, greitas |
| quickly | ['kwɪkli] | vikriai, greitai |
| quiet | ['kwaɪət] | ramus |
| quietly | ['kwaɪətli] | ramiai |
| quiz | [kwɪz] | viktorina |

## R r

| | | |
|---|---|---|
| rabbit | ['ræbɪt] | triušis |
| race | [reɪs] | lenktyniauti |
| ✿ raced | [reɪst] | lenktyniavo |
| racing | ['reɪsɪŋ] | lenktyniavimas |
| racket | ['rækɪt] | raketė |
| radio | ['reɪdɪəʊ] | radijas |
| radish | ['rædɪʃ] | ridikas |
| raft | [rɑːft] | plaustas |
| railway | ['reɪlweɪ] | geležinkelis |
| railway station | [ˌreɪlweɪ 'steɪʃn] | geležinkelio stotis |
| rain | [reɪn] | lietus |
| rain | [reɪn] | lyti |
| ✿ rained | [reɪnd] | lijo |
| rainbow | ['reɪnbəʊ] | vaivorykštė |
| raincoat | ['reɪnkəʊt] | lietpaltis |
| raindrop | ['reɪndrɒp] | lietaus lašelis |
| rainy | ['reɪni] | lietingas |
| raise | [reɪz] | iškelti |
| ✿ raised | [reɪzd] | iškėlė |
| raisin | ['reɪzn] | razina |

| | | |
|---|---|---|
| rake | [reɪk] | grėblys |
| ✿ran | | bėgo (*būt. l.*) *žr.* r u n |
| ✿rang | | skambėjo (*būt. l.*) *žr.* r i n g |
| raspberry | [ˈrɑːzberi] | avietė |
| rat | [ræt] | žiurkė |
| ray | [reɪ] | spindulys |
| reach | [riːtʃ] | pasiekti |
| ✿reached | [riːtʃt] | pasiekė |
| read | [riːd] | skaityti |
| ✿read | [red] | skaitė |
| reading | [ˈriːdɪŋ] | skaitymas |
| ready | [ˈredi] | pasiruošęs |
| real | [riːəl], [rɪəl] | tikras |
| really | [ˈriːəli], [ˈrɪəli] | tikrai |
| receiver | [rɪˈsiːvə] | telefono ragelis |
| receptionist | [rɪˈsepʃənɪst] | registratorius |
| recite | [rɪˈsaɪt] | deklamuoti |
| ✿recited | [rɪˈsaɪtɪd] | deklamavo |
| record | [ˈrekəd] | plokštelė |
| record-player | [ˈrekədpleɪə] | patefonas |
| rectangle | [ˈrektæŋgl] | stačiakampis |
| red | [red] | raudona |
| reed | [riːd] | nendrė |
| refrigerator | [rɪˈfrɪdʒəreɪtə] | šaldytuvas |
| register | [ˈredʒɪstə] | žurnalas (*įrašams*) |
| rehearsal | [rɪˈhɜːsl] | repeticija |
| religion | [rɪˈlɪdʒən] | tikyba |
| remember | [rɪˈmembə] | prisiminti |
| ✿remembered | [rɪˈmembəd] | prisiminė |
| repeat | [rɪˈpiːt] | kartoti |
| ✿repeated | [rɪˈpiːtɪd] | kartojo |
| reply | [rɪˈplaɪ] | atsakyti |
| ✿replied | [rɪˈplaɪd] | atsakė |
| reporter | [rɪˈpɔːtə] | reporteris |
| reptile | [ˈreptaɪl] | roplys |
| request | [rɪˈkwest] | prašymas |

| | | |
|---|---|---|
| rescue | ['reskju:] | gelbėti |
| ✿rescued | ['reskju:d] | gelbėjo |
| resin | ['rezɪn] | sakai |
| rest | [rest] | poilsis |
| rest | [rest] | ilsėtis |
| ✿rested | ['restɪd] | ilsėjosi |
| restaurant | ['restrɒnt] | restoranas |
| revise | [rɪ'vaɪz] | taisyti, tikslinti |
| ✿revised | [rɪ'vaɪzd] | taisė, tikslino |
| revision | [rɪ'vɪʒn] | pataisymas |
| reward | [rɪ'wɔ:d] | apdovanojimas |
| reward | [rɪ'wɔ:d] | apdovanoti |
| ✿rewarded | [rɪ'wɔ:dɪd] | apdovanojo |
| rhino | ['raɪnəʊ] | raganosis *šnek.* |
| rhinoceros | [raɪ'nɒsərəs] | raganosis |
| rhyme | [raɪm] | eilėraštis (*trumpas*) |
| ribbon | ['rɪbən] | kaspinas |
| rice | [raɪs] | ryžiai |
| rich | [rɪtʃ] | turtingas |
| riddle | ['rɪdl] | mįslė |
| ride | [raɪd] | joti; važiuoti (*dviračiu, motociklu*) |
| ✿rode | [rəʊd] | jojo; važiavo (*dviračiu, motociklu*) |
| riding | ['raɪdɪŋ] | jojimas; važinėjimas |
| right | [raɪt] | dešinė; teisingas |
| right now | [ˌraɪt 'naʊ] | tuoj pat |
| ring | [rɪŋ] | žiedas (*ant piršto*) |
| ring | [rɪŋ] | skambėti (*telefonas, varpelis*) |
| ✿rang | [ræŋ] | skambėjo (*telefonas, varpelis*) |
| ripe | [raɪp] | prinokęs |
| rise | [raɪz] | kilti |
| ✿rose | [rəʊz] | kilo |
| river | ['rɪvə] | upė |
| road | [rəʊd] | kelias, plentas |

| | | |
|---|---|---|
| roar | [rɔː] | riaumoti |
| ✿roared | [rɔːd] | riaumojo |
| rob | [rɒb] | plėšikauti |
| ✿robbed | [rɒbd] | plėšikavo |
| robber | [ˈrɒbə] | plėšikas |
| robot | [ˈrəʊbɒt] | robotas |
| rock | [rɒk] | uola |
| rocket | [ˈrɒkɪt] | raketa |
| ✿rode | | jojo, važinėjo (*būt. l.*) *žr.* r i d e |
| roe | [rəʊ] | stirna |
| roll | [rəʊl] | bandelė |
| roller blades | [ˈrəʊlə bleɪdz] | riedučiai |
| roller skates | [ˈrəʊlə skeɪts] | ratukinės pačiūžos |
| Roman | [ˈrəʊmən] | romėnas, romėniškas |
| romantic | [rəʊˈmæntɪk] | romantiškas |
| roof | [ruːf] | stogas |
| room | [ruːm] | kambarys |
| root | [ruːt] | šaknis |
| rope | [rəʊp] | virvė |
| ✿rose | | kilo (*būt. l.*) *žr.* r i s e |
| rose | [rəʊz] | rožė *bot.* |
| rough | [rʌf] | šiurkštus |
| round | [raʊnd] | apvalus |
| route | [ruːt] | maršrutas |
| row | [rəʊ] | eilė |
| row | [rəʊ] | irkluoti |
| ✿rowed | [rəʊd] | irklavo |
| rowboat | [ˈrəʊbəʊt] | irklinė valtis *amer.* |
| rub | [rʌb] | trinti |
| ✿rubbed | [rʌbd] | trynė |
| rubber | [ˈrʌbə] | trintukas *amer.* |
| rubber-tree | [ˈrʌbətriː] | kaučiukmedis |
| rubbish | [ˈrʌbɪʃ] | šiukšlės |
| rucksack | [ˈrʌksæk] | turisto kuprinė |
| rug | [rʌg] | kilimas (*nedidelis*) |
| rugby | [ˈrʌgbi] | regbis |
| ruin | [ruːɪn] | sugriauti |

| | | |
|---|---|---|
| ✿ruined | [ruːɪnd] | sugriovė |
| rule | [ruːl] | taisyklė |
| rule | [ruːl] | valdyti |
| ✿ruled | [ruːld] | valdė |
| ruler | [ˈruːlə] | liniuotė; valdovas |
| run | [rʌn] | bėgti |
| ✿ran | [ræn] | bėgo |
| run away | [ˌrʌn əˈweɪ] | pabėgti |
| ✿ran away | [ˌræn əˈweɪ] | pabėgo |
| runner | [ˈrʌnə] | bėgikas |
| running | [ˈrʌnɪŋ] | bėgimas, |
| running shoes | [ˈrʌnɪŋ ʃuːz] | sportiniai batai |
| running water | [ˈrʌnɪŋ wɔːtə] | vandentiekis |
| rush | [rʌʃ] | skubėti, skubotai veikti |
| ✿rushed | [rʌʃt] | skubėjo, skubotai veikė |
| Russia | [ˈrʌʃə] | Rusija |
| Russian | [ˈrʌʃn] | rusas; rusiškas; rusų kalba |

## S s

| | | |
|---|---|---|
| sack | [sæk] | maišas |
| sad | [sæd] | liūdnas |
| safari | [səˈfɑːri] | safari |
| safe | [seɪf] | saugus |
| ✿said | | sakė (*būt. l.*) s a y |
| sail | [seɪl] | plaukti (*laivu*) |
| ✿sailed | [seɪld] | plaukė (*laivu*) |
| sailboat | [ˈseɪlbəʊt] | burinis laivas |
| sailor | [ˈseɪlə] | jūreivis |
| saint | [seɪnt] | šventas |
| salad | [ˈsæləd] | salotos (*patiekalas*) |
| salt | [sɔːlt] | druska |
| salty | [ˈsɔːlti] | sūrus |
| same | [seɪm] | tas pats |

| | | |
|---|---|---|
| sand | [sænd] | smėlis |
| sandal | ['sændl] | sandalas |
| sandwich | ['sænwɪdʒ] | sumuštinis |
| ✿ sang | | dainavo (*būt. l.*) *žr.* s i n g |
| ✿ sank | | skendo (*būt. l.*) *žr.* s i n k |
| Santa Claus | ['sæntə klɔːz] | Kalėdų Senelis |
| ✿ sat | | sėdėjo (*būt. l.*) *žr.* s i t |
| satellite | ['sætəlaɪt] | palydovas |
| Saturday | ['sætədeɪ], ['sætədi] | šeštadienis |
| Saturn | ['sætən] | Saturnas |
| saucepan | ['sɔːspən] | prikaistuvis |
| saucer | ['sɔːsə] | lėkštelė |
| sausage | ['sɒsɪdʒ] | dešra |
| save | [seɪv] | gelbėti; taupyti |
| ✿ saved | [seɪvd] | gelbėjo; taupė |
| ✿ saw | | matė (*būt. l.*) *žr.* s e e |
| say | [seɪ] | sakyti |
| ✿ said | [sed] | sakė |
| saying | ['seɪɪŋ] | posakis |
| scales | [skeɪlz] | svarstyklės |
| scar | [skɑː] | randas |
| scared | [skeəd] | išsigandęs |
| scarf | [skɑːf] | šalikas |
| scary | ['skeəri] | bailus |
| scarves | [skɑːvz] | šalikai |
| school | [skuːl] | mokykla |
| school set | ['skuːl set] | mokykliniai reikmenys |
| schoolbag | ['skuːlbæg] | kuprinė (*mokyklinė*) |
| schoolboy | ['skuːlbɒɪ] | mokinys |
| schoolbook | ['skuːlbʊk] | vadovėlis |
| schoolchildren | ['skuːltʃɪldrən] | mokiniai |
| schoolgirl | ['skuːlgɜːl] | mokinė |
| science | ['saɪəns] | mokslas |
| scientist | ['saɪəntɪst] | mokslininkas |
| scissors | ['sɪzəz] | žirklės |

A a B b C c D d E e F f G g H h I i J j K k L l M m N n O o P p Q q R r **S s** T t U u V v W w X x Y y Z z

| | | |
|---|---|---|
| score | [skɔː] | rezultatas |
| Scotish | [ˈskɒtɪʃ] | škotiškas; škotų kalba |
| Scotland | [ˈskɒtlənd] | Škotija |
| Scotsman | [ˈskɒtsmən] | škotas |
| scratch | [skrætʃ] | kasyti; įdrėksti |
| ✿ scratched | [skrætʃt] | kasė; įdrėskė |
| screen | [skriːn] | ekranas |
| screw | [skruː] | varžtas |
| screw | [skruː] | veržti |
| ✿ screwed | [skruːd] | veržė |
| screwdriver | [ˈskruːdraɪvə] | suktuvas |
| scrub | [skrʌb] | šveisti |
| ✿ scrubbed | [skrʌbd] | šveitė |
| sculpture | [ˈskʌlptʃə] | skulptūra |
| sea | [siː] | jūra |
| seagull | [ˈsiːgʌl] | žuvėdra |
| seahorse | [ˈsiːhɔːs] | jūros arkliukas |
| seal | [siːl] | ruonis |
| seaplane | [ˈsiːpleɪn] | hidroplanas |
| seaside | [ˈsiːsaɪd] | pajūris |
| season | [ˈsiːzn] | metų laikas |
| seat | [siːt] | vieta sėdėti |
| second | [ˈsekənd] | antras; sekundė |
| secondary | [ˈsekəndəri] | vidurinis (*mokslas*) |
| secret | [ˈsiːkrɪt] | paslaptis; slaptas |
| secretary | [ˈsekrətri] | sekretorius, -ė |
| section | [ˈsekʃn] | dalis, skyrius |
| see | [siː] | matyti |
| ✿ saw | [sɔː] | matė |
| See you! | [ˈsiː ˌjuː], [ˈsiː jə] | Iki! (*atsisveikinant*) |
| seed | [siːd] | sėkla |
| selfish | [ˈselfɪʃ] | savanaudis |
| sell | [sel] | parduoti |
| ✿ sold | [səʊld] | pardavė |
| send | [send] | siųsti |
| ✿ sent | [sent] | siuntė |

| | | |
|---|---|---|
| sense | [sens] | jausmas, pojūtis |
| sentence | [ˈsentəns] | sakinys |
| September | [sepˈtembə] | rugsėjis |
| series | [ˈsɪəri:z] | serija, serialas |
| servant | [ˈsɜ:vənt] | tarnas |
| set | [set] | komplektas, rinkinys |
| seven | [ˈsevn] | septyni |
| seventeen | [ˌsevnˈti:n] | septyniolika |
| seventeenth | [ˌsevnˈti:nθ] | septynioliktas |
| seventh | [ˈsevnθ] | septintas |
| seventy | [ˈsevnti] | septyniasdešimt |
| seventieth | [ˈsevntɪəθ] | septyniasdešimtas |
| sew | [səʊ] | siūti |
| ✿ sewed | [səʊd] | siuvo |
| shadow | [ˈʃædəʊ] | šešėlis |
| shake | [ʃeɪk] | kratyti, drebėti |
| ✿ shook | [ʃʊk] | kratė, drebėjo |
| shall | [ʃæl], [ʃəl] | *būs. l. pagalb. veiksm. vns. ir dgs. I asmeniui* |
| shampoo | [ʃæmˈpu:] | šampūnas |
| shape | [ʃeɪp] | forma |
| share | [ʃeə] | dalytis |
| ✿ shared | [ʃeəd] | dalijosi |
| shark | [ʃɑ:k] | ryklys |
| sharp | [ʃɑ:p] | aštrus |
| she | [ʃi:], [ʃɪ] | ji |
| shed | [ʃed] | mesti (*lapus*), šertis |
| ✿ shed | [ʃed] | metė (*lapus*), šėrėsi |
| sheep | [ʃi:p] | avis; avys |
| shelf | [ʃelf] | lentyna |
| shell | [ʃel] | kriauklė, kiautas |
| shelves | [ʃelvz] | lentynos |
| sherrif | [ˈʃerɪf] | šerifas |
| shine | [ʃaɪn] | šviesti |
| ✿ shone | [ʃɒn] | švietė |
| ship | [ʃɪp] | laivas |

| | | |
|---|---|---|
| shirt | [ʃɜːt] | marškiniai |
| shock | [ʃɒk] | sukrėtimas |
| shocking | [ˈʃɒkɪŋ] | sukrečiantis |
| shoe | [ʃuː] | batas |
| shoe shop | [ˈʃuː ʃɒp] | batų parduotuvė |
| shoelace | [ˈʃuːleɪs] | batų raištelis |
| ✿shone | | švietė (*būt. l.*) *žr.* s h i ne |
| ✿shook | | kratė (*būt. l.*) *žr.* s h a k e |
| shop | [ʃɒp] | parduotuvė |
| shop-assistant | [ˈʃɒpəsɪstənt] | pardavėjas, -a |
| shopkeeper | [ˈʃɒpkiːpə] | krautuvininkas |
| shopping | [ˈʃɒpɪŋ] | vaikščiojimas po krautuves (*apsipirkti*) |
| shopping list | [ˈʃɒpɪŋ lɪst] | prekių sąrašas |
| shore | [ʃɔː] | krantas |
| shorts | [ʃɔːts] | šortai |
| should | [ʃʊd], [ʃəd] | *vartojamas patarimui, privalėjimui reikšti* |
| shoulder | [ˈʃəʊldə] | petys |
| shout | [ʃaʊt] | rėkti |
| ✿shouted | [ˈʃaʊtɪd] | rėkė |
| show | [ʃəʊ] | rodyti |
| ✿showed | [ʃəʊd] | rodė |
| shower | [ˈʃaʊə] | dušas |
| shrink | [ʃrɪŋk] | susitraukti |
| ✿shrank | [ʃræŋk] | susitraukė |
| shut | [ʃʌt] | uždaryti, uždengti, užverti |
| ✿shut | [ʃʌt] | uždarė, uždengė, užvėrė |
| Shut up! | [ˌʃʌt ˈʌp] | Užsičiaupk! |
| shy | [ʃaɪ] | drovus, bailus |
| Sicilian | [sɪˈsɪlɪən] | siciliškas; sicilietis |
| sick | [sɪk] | sergantis |
| side | [saɪd] | šonas |
| sidewalk | [ˈsaɪdwɔːk] | šaligatvis *amer.* |

| | | |
|---|---|---|
| sight | [saɪt] | regėjimas |
| sightseeing | ['saɪtsiːɪŋ] | įdomių vietų apžiūrėjimas |
| sign | [saɪn] | ženklas |
| silence | ['saɪləns] | tyla |
| silk | [sɪlk] | šilkas |
| silly | ['sɪli] | kvailas, paikas |
| silver | ['sɪlvə] | sidabras |
| silvery | ['sɪlvəri] | sidabrinis |
| sincerely | [sɪn'sɪəli] | nuoširdžiai |
| sing | [sɪŋ] | dainuoti |
| ✿ sang | [sæŋ] | dainavo |
| singer | ['sɪŋgə] | dainininkas |
| sink | [sɪŋk] | plautuvė |
| sink | [sɪŋk] | skęsti, grimzti |
| ✿ sank | [sæŋk] | skendo, grimzdo |
| sip | [sɪp] | gurkšnelis |
| sir | [sɜː] | seras (*kreipinys*) |
| sister | ['sɪstə] | sesuo |
| sit | [sɪt] | sėdėti |
| ✿ sat | [sæt] | sėdėjo |
| sit down | [ˌsɪt 'daʊn] | atsisėsti |
| ✿ sat down | [ˌsæt 'daʊn] | atsisėdo |
| sitting-room | ['sɪtɪŋrʊm] | svetainė, svečių kambarys |
| six | [sɪks] | šeši |
| sixteen | [ˌsɪks'tiːn] | šešiolika |
| sixteenth | [ˌsɪks'tiːnθ] | šešioliktas |
| sixth | [sɪksθ] | šeštas |
| sixty | ['sɪksti] | šešiasdešimt |
| sixtieth | ['sɪkstɪəθ] | šešiasdešimtas |
| skate | [skeɪt] | pačiūža |
| skate | [skeɪt] | čiuožti |
| ✿ skated | ['skeɪtɪd] | čiuožė |
| skateboard | ['skeɪtbɔːd] | riedlentė |
| skateboarding | ['skeɪtbɔːdɪŋ] | važinėjimas riedlente |

| | | | |
|---|---|---|---|
| A a | skater | ['skeɪtə] | čiuožėjas |
| B b | skating | ['skeɪtɪŋ] | čiuožimas |
| C c | skating-rink | ['skeɪtɪŋrɪŋk] | čiuožykla |
| D d | skeleton | ['skelɪtn] | griaučiai |
| E e | ski | [ski:] | slidė |
| F f | ski | [ski:] | slidinėti |
| G g | ✿ skied | [ski:d] | slidinėjo |
| H h | skier | ['ski:ə] | slidininkas |
| I i | skiing | ['ski:ɪŋ] | slidinėjimas |
| J j | skin | [skɪn] | oda (*žmogaus, gyvulio*); kailis |
| K k | skip | [skɪp] | šokinėti (*per šokdynę*) *amer.* |
| L l | ✿ skipped | [skɪpt] | šokinėjo (*per šokdynę*) *amer.* |
| M m | skipping-rope | ['skɪpɪŋrəʊp] | šokdynė |
| N n | skirt | [skɜ:t] | sijonas |
| O o | sky | [skaɪ] | dangus |
| P p | skylark | ['skaɪlɑ:k] | vyturys |
| Q q | slap | [slæp] | pliaukštelėti |
| R r | ✿ slapped | [slæpt] | pliaukštelėjo |
| **S s** | slave | [sleɪv] | vergas |
| T t | sledge | [sledʒ] | rogės |
| U u | sledge | [sledʒ] | važiuoti rogėmis |
| V v | ✿ sledged | [sledʒd] | važiavo rogėmis |
| W w | sledging | ['sledʒɪŋ] | rogių sportas |
| X x | sleep | [sli:p] | miegoti |
| Y y | ✿ slept | [slept] | miegojo |
| Z z | sleeping-bag | ['sli:pɪŋbæg] | miegmaišis |
| | sleepy | ['sli:pi] | mieguistas |
| | sleeve | [sli:v] | rankovė |
| | slice | [slaɪs] | riekė |
| | slide | [slaɪd] | slysti |
| | ✿ slid | [slɪd] | slydo |
| | slim | [slɪm] | lieknas |
| | slip | [slɪp] | paslysti; praleisti |

| | | |
|---|---|---|
| ✿ slipped | [slɪpt] | paslydo; praleido |
| slipper | [ˈslɪpə] | šlepetė |
| slope | [sləʊp] | šlaitas |
| slow | [sləʊ] | lėtas |
| slowly | [ˈsləʊli] | lėtai |
| small | [smɔːl] | mažas |
| smart | [smɑːt] | gudrus, šaunus |
| smash | [smæʃ] | sudaužyti |
| ✿ smashed | [smæʃt] | sudaužė |
| smell | [smel] | kvepėti; uostyti |
| ✿ smelt | [smelt] | kvepėjo; uostė |
| smile | [smaɪl] | šypsena |
| smile | [smaɪl] | šypsotis |
| ✿ smiled | [smaɪld] | šypsojosi |
| smoke | [sməʊk] | dūmai, suodžiai |
| smoke | [sməʊk] | rūkyti; rūkti |
| ✿ smoked | [sməʊkt] | rūkė; rūko |
| smooth | [smuːð] | lygus, glotnus |
| snack | [snæk] | užkandis |
| snack-bar | [ˈsnækbɑː] | užkandinė, bufetas |
| snail | [sneɪl] | sraigė |
| snake | [sneɪk] | gyvatė |
| snap | [snæp] | spragtelėti (*pirštais*) |
| ✿ snapped | [snæpt] | spragtelėjo (*pirštais*) |
| snore | [snɔː] | knarkimas |
| snow | [snəʊ] | sniegas |
| snow | [snəʊ] | snigti |
| ✿ snowed | [snəʊd] | snigo |
| snowball | [ˈsnəʊbɔːl] | sniego gniūžtė |
| snowdrop | [ˈsnəʊdrɒp] | snieguolė *bot.* |
| snowflake | [ˈsnəʊfleɪk] | snaigė |
| snowy | [ˈsnəʊi] | snieguotas |
| so | [səʊ] | todėl; taigi; toks |
| soap | [səʊp] | muilas |
| sock | [sɒk] | puskojinė |
| sofa | [ˈsəʊfə] | sofa |

A a
B b
C c
D d
E e
F f
G g
H h
I i
J j
K k
L l
M m
N n
O o
P p
Q q
R r
**S s**
T t
U u
V v
W w
X x
Y y
Z z

| | | |
|---|---|---|
| soft | [sɒft] | minkštas; švelnus; tylus |
| soft toy | [ˌsɒft ˈtɒɪ] | minkštas žaislas |
| softly | [ˈsɒftli] | švelniai; tyliai |
| ✿ sold | | pardavė (*būt. l.*) *žr.* s e l l |
| soldier | [ˈsəʊldʒə] | kareivis |
| solution | [səˈluːʃn] | sprendimas, išaiškinimas |
| some | [sʌm] | keletas, šiek tiek (*teig. sak.*) |
| somebody | [ˈsʌmbədi] | kažkas (*apie žmogų*) |
| someone | [ˈsʌmwʌn] | kažkas (*apie žmogų*) |
| something | [ˈsʌmθɪŋ] | kažkas (*apie daiktą*) |
| sometimes | [ˈsʌmtaɪmz] | kartais |
| somewhere | [ˈsʌmweə] | kažkur, kur nors |
| son | [sʌn] | sūnus |
| song | [sɒŋ] | daina |
| soon | [suːn] | greitai |
| Sorry! | [ˈsɒri] | Atsiprašau! *šnek.* |
| sort | [sɔːt] | rūšis, klasė |
| sound | [saʊnd] | garsas |
| sound | [saʊnd] | skambėti |
| ✿ sounded | [ˈsaʊndɪd] | skambėjo |
| soup | [suːp] | sriuba |
| sour | [ˈsaʊə] | rūgštus |
| south | [saʊθ] | pietų kryptis |
| southern | [ˈsʌðən] | pietinis |
| space | [speɪs] | erdvė |
| spacecraft | [ˈspeɪskrɑːft] | erdvėlaivis |
| spacesuit | [ˈspeɪssuːt] | skafandras |
| spade | [speɪd] | kastuvas |
| spaghetti | [spəˈgeti] | spagečiai |
| Spain | [speɪn] | Ispanija |
| Spanish | [ˈspænɪʃ] | ispaniškas; ispanas; ispanų kalba |
| sparrow | [ˈspærəʊ] | žvirblis |
| speak | [spiːk] | kalbėti |
| ✿ spoke | [spəʊk] | kalbėjo |
| special | [ˈspeʃl] | specialus |

| | | |
|---|---|---|
| speciality | [ˌspeʃɪ'æləti] | specialybė |
| specs | [speks] | akiniai *šnek.* |
| spell | [spel] | pasakyti/parašyti paraidžiui |
| ✿ spelt | [spelt] | pasakė/parašė paraidžiui |
| spelling | ['spelɪŋ] | rašyba |
| spend | [spend] | leisti, eikvoti |
| ✿ spent | [spent] | leido, eikvojo |
| spider | ['spaɪdə] | voras |
| spin | [spɪn] | verpti |
| ✿ spun | [spʌn] | verpė |
| spinning top | ['spɪnɪŋ tɒp] | vilkelis (*žaislas*) |
| spinning-wheel | ['spɪnɪŋwiːl] | verpstė |
| spoke | | kalbėjo (*būt. l.*) *žr.* s p e a k |
| sponge | [spʌndʒ] | kempinė |
| spoon | [spuːn] | šaukštas |
| sport | [spɔːt] | sportas |
| sports center | ['spɔːts sentə] | sporto prekių parduotuvė |
| sportsman | ['spɔːtsmən] | sportininkas |
| spot | [spɒt] | dėmė |
| spotted | ['spɒtɪd] | taškuotas |
| spring | [sprɪŋ] | pavasaris |
| spy | [spaɪ] | šnipas |
| spy | [spaɪ] | šnipinėti |
| ✿ spied | [spaɪd] | šnipinėjo |
| square | [skweə] | aikštė; kvadratas |
| squirrel | ['skwɪrəl] | voverė |
| St. Valentine's day | [snt 'væləntaɪnz ˌdeɪ] | šv. Valentino diena |
| stable | ['steɪbl] | arklidė |
| stadium | ['steɪdɪəm] | stadionas |
| staff room | ['stɑːf rʊm] | mokytojų kambarys |
| stairs | [steəz] | laiptai |
| stalk | [stɔːk] | stiebas, kotas (*augalo*) |

A a B b C c D d E e F f G g H h I i J j K k L l M m N n O o P p Q q R r **S s** T t U u V v W w X x Y y Z z

| | | |
|---|---|---|
| stamp | [stæmp] | pašto ženklas |
| stand | [stænd] | stovėti |
| ✿stood | [stʊd] | stovėjo |
| stand up | [ˌstænd ˈʌp] | atsistoti |
| ✿stood up | [ˌstʊd ˈʌp] | atsistojo |
| star | [stɑː] | žvaigždė |
| stare | [steə] | smalsiai žiūrėti |
| ✿stared | [steəd] | smalsiai žiūrėjo |
| starfish | [ˈstɑːfɪʃ] | jūros žvaigždė |
| starling | [ˈstɑːlɪŋ] | varnėnas |
| start | [stɑːt] | pradžia, paleidimas |
| start | [stɑːt] | pradėti; užvesti |
| ✿started | [ˈstɑːtɪd] | pradėjo; užvedė |
| starter | [ˈstɑːtə] | starteris |
| starve | [stɑːv] | badauti |
| ✿starved | [stɑːvd] | badavo |
| station | [ˈsteɪʃn] | stotis |
| statue | [ˈstætʃuː] | statula |
| stay | [steɪ] | pasilikti |
| ✿stayed | [steɪd] | pasiliko |
| steak | [steɪk] | bifšteksas |
| steal | [stiːl] | vogti |
| ✿stole | [stəʊl] | vogė |
| steam | [stiːm] | garai |
| step | [step] | žingsnis |
| stick | [stɪk] | lazda |
| stick | [stɪk] | klijuoti; prilipti |
| ✿stuck | [stʌk] | klijavo; prilipo |
| sticker | [ˈstɪkə] | lipdukas |
| sticky | [ˈstɪki] | lipnus |
| sticky tape | [ˌstɪki ˈteɪp] | lipni juosta |
| still | [stɪl] | vis dar |
| sting | [stɪŋ] | gelti |
| ✿stung | [stʌŋ] | gėlė |
| stir | [stɜː] | maišyti |
| ✿stirred | [stɜːd] | maišė |

| | | |
|---|---|---|
| stocking | ['stɒkɪŋ] | kojinė |
| ✿ stole | | vogė (*būt. l.*) *žr.* s t e a l |
| stomach | ['stʌmək] | pilvas |
| stomachache | ['stʌməkeɪk] | pilvo skausmas |
| stone | [stəʊn] | akmuo |
| ✿ stood | | stovėjo (*būt. l.*) *žr.* s t a n d |
| stop | [stɒp] | stotelė |
| stop | [stɒp] | sustoti |
| ✿ stopped | [stɒpt] | sustojo |
| store | [stɔː] | parduotuvė *amer.*; sandėlis |
| stork | [stɔːk] | gandras |
| storm | [stɔːm] | audra |
| story | ['stɔːri] | pasakojimas |
| stove | [stəʊv] | viryklė, krosnis |
| straight | [streɪt] | tiesus; tiesiai |
| strange | [streɪndʒ] | keistas |
| straw | [strɔː] | šiaudas |
| strawberry | ['strɔːbəri] | braškė, žemuogė |
| stream | [striːm] | srovė |
| street | [striːt] | gatvė |
| stretch | [stretʃ] | išsitiesti |
| ✿ stretched | [stretʃt] | išsitiesė |
| string | [strɪŋ] | styga, virvė (*plona*) |
| stripe | [straɪp] | juosta, dryžis |
| striped | [straɪpt] | dryžuotas |
| strong | [strɒŋ] | stiprus |
| ✿ stuck | | prilipo, klijavo (*būt. l.*) *žr.* s t i c k |
| student | ['stjuːdənt] | mokinys, studentas |
| studies | ['stʌdɪz] | mokslas, studijos |
| studio | ['stjuːdɪəʊ] | studija |
| study | ['stʌdi] | mokytis, studijuoti |
| ✿ studied | ['stʌdɪd] | mokėsi, studijavo |
| ✿ stung | | gėlė (*būt. l.*) *žr.* s t i n g |
| stupid | ['stjuːpɪd] | kvailas, bukas (*apie žmogų*) |

| | | |
|---|---|---|
| subject | [ˈsʌbʒɪkt] | mokomasis dalykas |
| submarine | [ˌsʌbməˈriːn] | povandeninis laivas |
| subtract | [səbˈtrækt] | atimti *mat.* |
| ✿subtracted | [səbˈtræktɪd] | atėmė *mat.* |
| such | [sʌtʃ] | toks |
| suddenly | [ˈsʌdnli] | staiga |
| sugar | [ˈʃʊgə] | cukrus |
| suggest | [səˈdʒest] | siūlyti |
| ✿suggested | [səˈdʒestɪd] | siūlė |
| suggestion | [səˈdʒestʃn] | pasiūlymas |
| suit | [suːt] | kostiumas |
| suitcase | [ˈsjuːtkeɪs] | lagaminas |
| sum | [sʌm] | suma |
| summer | [ˈsʌmə] | vasara |
| summer holidays | [ˌsʌmə ˈhɒlədeɪz] [ˌsʌmə ˈhɒlədɪz] | vasaros atostogos |
| sun | [sʌn] | saulė |
| sunbathe | [ˈsʌnbeɪð] | kaitintis saulėje |
| ✿sunbathed | [ˈsʌnbeɪðd] | kaitinosi saulėje |
| Sunday | [ˈsʌndeɪ],[ˈsʌndi] | sekmadienis |
| sunflower | [ˈsʌnflaʊə] | saulėgrąža |
| sunglasses | [ˈsʌnglɑːsɪz] | akiniai nuo saulės |
| sunny | [ˈsʌni] | saulėtas |
| sunshine | [ˈsʌnʃaɪn] | saulės šviesa |
| supermarket | [ˈsuːpəmɑːkɪt] | universalinė parduotuvė |
| supper | [ˈsʌpə] | vakarienė (*kukli*) |
| surf | [sɜːf] | bangų mūša |
| surface | [ˈsɜːfɪs] | paviršius |
| surfboard | [ˈsɜːfbɔːd] | banglentė |
| surprise | [səˈpraɪz] | siurprizas |
| surprise | [səˈpraɪz] | stebinti |
| ✿surprised | [səˈpraɪzd] | stebino |
| surprised | [səˈpraɪzd] | nustebęs |
| suspicious | [səˈspɪʃəs] | įtartinas, įtarus |
| swallow | [ˈswɒləʊ] | gurkšnis |

| | | |
|---|---|---|
| swallow | ['swɒləʊ] | ryti |
| ✿ swallowed | ['swɒləʊd] | rijo |
| ✿ swam | | plaukė (*būt. l.*) *žr.* s w i m |
| swan | [swɒn] | gulbė |
| sweater | ['swetə] | megztinis (*nertinis*) |
| sweatshirt | ['swetʃɜːt] | medvilninis sportinis nertinis |
| sweep | [swiːp] | šluoti |
| ✿ swept | [swept] | šlavė |
| sweet | [swiːt] | saldus; saldainis |
| sweet shop | ['swiːt ʃɒp] | saldumynų parduotuvė |
| swim | [swɪm] | plaukti, maudytis |
| ✿ swam | [swæm] | plaukė, maudėsi |
| swimmer | ['swɪmə] | plaukikas |
| swimming | ['swɪmɪŋ] | plaukimas |
| swimming-pool | ['swɪmɪŋpuːl] | baseinas |
| swimsuit | ['swɪmsuːt] | maudymosi kostiumėlis |
| swing | [swɪŋ] | suptis |
| ✿ swung | [swʌŋ] | suposi |
| Swiss | [swɪs] | šveicaras, šveicariškas |
| switch off | [ˌswɪtʃ 'ɒf] | išjungti |
| ✿ switched off | [ˌswɪtʃt 'ɒf] | išjungė |
| switch on | [ˌswɪtʃ 'ɒn] | įjungti |
| ✿ switched on | [ˌswɪtʃt 'ɒn] | įjungė |
| Switzerland | ['swɪtsələnd] | Šveicarija |
| swop (swap) | [swɒp] | mainytis |
| ✿ swopped | [swɒpt] | mainėsi |
| sword | [sɔːd] | kardas |

## T t

| | | |
|---|---|---|
| table | ['teɪbl] | stalas |
| tablecloth | ['teɪblklɒθ] | staltiesė |
| table tennis | ['teɪbl tenɪs] | stalo tenisas |
| tag | [tæg] | etiketė (*kabanti*) |

Aa Bb Cc Dd Ee Ff Gg Hh Ii Jj Kk Ll Mm Nn Oo Pp Qq Rr Ss **Tt** Uu Vv Ww Xx Yy Zz

| | | |
|---|---|---|
| tail | [teɪl] | uodega |
| take | [teɪk] | imti |
| ✿took | [tʊk] | ėmė |
| take a nap | [ˌteɪk ə ˈnæp] | nusnūsti |
| ✿took a nap | [ˌtʊk ə ˈnæp] | nusnūdo |
| take a photo | [ˌteɪk ə ˈfəʊtəʊ] | fotografuoti |
| ✿took a photo | [ˌtʊk ə ˈfəʊtəʊ] | fotografavo |
| Take a seat! | [ˌteɪk ə ˈsiːt] | Sėskit! |
| take off | [ˌteɪk ˈɒf] | nusivilkti |
| ✿took off | [ˌtʊk ˈɒf] | nusivilko |
| take temperature | [ˌteɪk ˈtemprətʃə] | matuoti temperatūrą |
| ✿took temperature | [ˌtʊk ˈtemprətʃə] | matavo temperatūrą |
| talent | [ˈtælənt] | talentas |
| talk | [tɔːk] | kalbėti |
| ✿talked | [tɔːkt] | kalbėjo |
| tall | [tɔːl] | aukštas (*apie žmogų, medį*) |
| tame | [teɪm] | prijaukinti |
| ✿tamed | [teɪmd] | prijaukino |
| tap | [tæp] | tapšnoti |
| ✿tapped | [tæpt] | tapšnojo |
| tape | [teɪp] | juosta (*magnetofono*) |
| tape-recorder | [ˈteɪprɪkɔːdə] | magnetofonas |
| taste | [teɪst] | skonis |
| taste | [teɪst] | ragauti |
| ✿tasted | [ˈteɪstɪd] | ragavo |
| tasty | [ˈteɪsti] | skanus |
| taxi | [ˈtæksɪ] | taksi |
| tea | [tiː] | arbata |
| teach | [tiːtʃ] | mokyti |
| ✿taught | [tɔːt] | mokė |
| teacher | [ˈtiːtʃə] | mokytojas |
| team | [tiːm] | komanda |
| teapot | [ˈtiːpɒt] | arbatinukas |
| tear | [tɪə] | ašara |
| tear | [teə] | draskyti |

| | | |
|---|---|---|
| ✿tore | [tɔ:] | draskė |
| teaspoon | ['ti:spu:n] | arbatinis šaukštelis |
| teddy bear | ['tedi beə] | pliušinis meškutis |
| teeth | [ti:θ] | dantys |
| telephone | ['telɪfəʊn] | telefonas |
| telephone booth | ['telɪfəʊn bu:θ] | telefono būdelė |
| telephone box | ['telɪfəʊn bɒks] | telefono būdelė |
| telephone number | ['telɪfəʊn nʌmbə] | telefono numeris |
| telescope | ['telɪskəʊp] | teleskopas |
| television | [ˌtelɪ'vɪʒən] | televizija |
| tell | [tel] | pasakoti |
| ✿told | [təʊld] | pasakojo |
| temperature | ['temprətʃə] | temperatūra |
| ten | [ten] | dešimt |
| tennis | ['tenɪs] | tenisas |
| tennis-court | ['tenɪskɔ:t] | teniso aikštelė |
| tent | [tent] | palapinė |
| tenth | [tenθ] | dešimtas |
| term | [tɜ:m] | trimestras |
| terrible | ['terəbl] | baisus, siaubingas |
| test | [test] | kontrolinis darbas |
| textbook | ['tekstbʊk] | vadovėlis |
| than | [ðən] | negu |
| thank | [θæŋk] | dėkoti |
| ✿thanked | [θæŋkt] | dėkojo |
| Thank you! | ['θæŋk ˌju:] | Ačiū! |
| that | [ðæt] | tas, ta |
| That's right! | [ˌðæts 'raɪt] | Teisingai! |
| the | [ðə] | žymimasis artikelis |
| theatre | ['θɪətə] | teatras |
| their | [ðeə] | jų (*su daiktav.*) |
| theirs | [ðeəz] | jų (*be daiktav.*) |
| them | [ðem], [ðəm] | juos, jas, jiems, joms |
| themselves | [ðəm'selvz] | jie, jos patys (vieni) |
| then | [ðen] | tada |
| there | [ðeə] | ten |

A a B b C c D d E e F f G g H h I i J j K k L l M m N n O o P p Q q R r S s **T t** U u V v W w X x Y y Z z

| | | |
|---|---|---|
| thermometer | [θəˈmɒmɪtə] | termometras |
| these | [ðiːz] | šitie, šitos |
| they | [ðeɪ] | jie, jos |
| thick | [θɪk] | storas; tirštas |
| thief | [θiːf] | vagis |
| thieves | [θiːvz] | vagys |
| thin | [θɪn] | plonas |
| thing | [θɪŋ] | daiktas |
| think | [θɪŋk] | galvoti |
| ✿thought | [θɔːt] | galvojo |
| third | [θɜːd] | trečias |
| thirsty | [ˈθɜːsti] | ištroškęs |
| thirteen | [ˌθɜːˈtiːn] | trylika |
| thirteenth | [ˌθɜːˈtiːnθ] | tryliktas |
| thirtieth | [ˈθɜːtɪəθ] | trisdešimtas |
| thirty | [ˈθɜːti] | trisdešimt |
| this | [ðɪs] | šis, ši |
| those | [ðəʊz] | tie, tos |
| thousand | [ˈθaʊzənd] | tūkstantis |
| thread | [θred] | siūlas |
| three | [θriː] | trys |
| thriller | [ˈθrɪlə] | trileris |
| throat | [θrəʊt] | gerklė |
| throne | [θrəʊn] | sostas |
| through | [θruː] | pro, per, kiaurai |
| throw | [θrəʊ] | mesti |
| ✿threw | [θruː] | metė |
| thumb | [θʌm] | nykštys |
| thunder | [ˈθʌndə] | griaustinis |
| thunderstorm | [ˈθʌndəstɔːm] | audra (*su griaustiniu*) |
| Thursday | [ˈθɜːzdeɪ], [ˈθɜːzdi] | ketvirtadienis |
| tick | [tɪk] | varnelė (*ženklas*) |
| ticket | [ˈtɪkɪt] | bilietas |
| ticket office | [ˈtɪkɪt ɒfɪs] | bilietų kasa |
| tickle | [ˈtɪkl] | kutenti |
| ✿tickled | [ˈtɪkld] | kuteno |

| | | |
|---|---|---|
| tidy | ['taɪdi] | tvarkingas |
| tidy | ['taɪdi] | tvarkyti |
| ✿ tidied | ['taɪdɪd] | tvarkė |
| tie | [taɪ] | kaklaraištis |
| tie | [taɪ] | rišti |
| ✿ tied | [taɪd] | rišo |
| tiger | ['taɪgə] | tigras |
| tight | [taɪt] | ankštas |
| tights | [taɪts] | triko (*drabužis*) |
| till | [tɪl] | iki, ligi (*kol*) |
| time | [taɪm] | laikas |
| timetable | ['taɪmteɪbl] | tvarkaraštis |
| tin | [tɪn] | skardinė |
| tingle | ['tɪŋgl] | žnaibyti |
| ✿ tingled | ['tɪŋgld] | žnaibė |
| tiny | ['taɪni] | smulkus |
| tired | ['taɪəd] | pavargęs |
| title | ['taɪtl] | pavadinimas |
| titmouse | ['tɪtmaʊs] | zylė |
| to | [tə] | į, pas, prie (*žymint kryptį*) |
| toad | [təʊd] | rupūžė |
| toadstool | ['təʊdstuːl] | šungrybis |
| toast | [təʊst] | skrebutis |
| toast | [təʊst] | skrudinti |
| ✿ toasted | ['təʊstɪd] | skrudino |
| toboggan | [tə'bɒgən] | leistis rogutėm |
| ✿ tobogganed | [tə'bɒgənd] | leidosi rogutėm |
| today | [tə'deɪ] | šiandien |
| toe | [təʊ] | kojos pirštas |
| together | [tə'geðə] | kartu |
| toilet | ['tɒɪlɪt] | tualetas |
| ✿ told | | pasakojo (*būt. l.*) *žr.* t e l l |
| tomato | [tə'mɑːtəʊ] | pomidoras |
| tomorrow | [tə'mɒrəʊ] | rytoj |
| tongue | [tʌŋ] | liežuvis |
| tonight | [tə'naɪt] | šįvakar |

A a B b C c D d E e F f G g H h I i J j K k L l M m N n O o P p Q q R r S s **T t** U u V v W w X x Y y Z z

A a B b C c D d E e F f G g H h I i J j K k L l M m N n O o P p Q q R r S s **T t** U u V v W w X x Y y Z z

| | | |
|---|---|---|
| too | [tu:] | taip pat (*sakinio gale*) |
| ✿took | | ėmė (*būt. l.*) *žr.* t a k e |
| tooth | [tu:θ] | dantis |
| toothache | ['tu:θeɪk] | dantų skausmas |
| toothbrush | ['tu:θbrʌʃ] | dantų šepetėlis |
| toothpaste | ['tu:θpeɪst] | dantų pasta |
| top | [tɒp] | viršus |
| torch | [tɔ:tʃ] | žibintuvėlis |
| ✿tore | | draskė (*būt. l.*) *žr.* t e a r |
| tortoise | ['tɔ:təs] | vėžlys |
| total | ['təʊtl] | iš viso; suma |
| touch | [tʌtʃ] | liesti |
| ✿touched | [tʌtʃt] | lietė |
| tourist | ['tʊərɪst] | turistas |
| towards | [tə'wɔ:dz] | link, į (*žymint laiką, vietą*) |
| towel | ['taʊəl] | rankšluostis |
| tower | ['taʊə] | bokštas |
| town | [taʊn] | miestas (*mažas*) |
| toy | [tɒɪ] | žaislas |
| toy shop | ['tɒɪ ʃɒp] | žaislų parduotuvė |
| trace | [treɪs] | sekti |
| ✿traced | [treɪst] | sekė |
| tracksuit | ['træksu:t] | sportinis kostiumas |
| tractor | ['træktə] | traktorius |
| traditional | [trə'dɪʃnəl] | įprastas |
| traffic | ['træfɪk] | eismas |
| traffic-lights | ['træfɪklaɪts] | šviesoforas |
| traffic rules | ['træfɪk ru:lz] | eismo taisyklės |
| train | [treɪn] | traukinys |
| trainers | ['treɪnəz] | sportiniai batai |
| tram | [træm] | tramvajus |
| translate | [trænz'leɪt] | versti į kitą kalbą |
| ✿translated | [trænz'leɪtɪd] | vertė į kitą kalbą |
| translation | [trænz'leɪʃn] | vertimas į kitą kalbą |
| transport | ['trænspɔ:t] | transportas |

| | | |
|---|---|---|
| transportation | [ˌtrænspɔːˈteɪʃn] | pervežimas |
| travel | [ˈtrævl] | keliauti |
| ✿ travelled | [ˈtrævld] | keliavo |
| traveller | [ˈtrævələ] | keliautojas |
| tray | [trei] | padėklas |
| treasure | [ˈtreʒə] | lobis |
| treat | [triːt] | elgtis; vaišinti |
| ✿ treated | [ˈtriːtɪd] | elgėsi; vaišino |
| tree | [triː] | medis |
| triangle | [ˈtraɪæŋgl] | trikampis |
| tribe | [traɪb] | gentis |
| trick | [trɪk] | pokštas |
| trifle | [ˈtraɪfl] | mažmožis, smulkmena |
| trip | [trɪp] | išvyka |
| triplets | [ˈtrɪpləts] | trynukai |
| trombone | [trɒmˈbəʊn] | trombonas |
| trousers | [ˈtraʊzəz] | kelnės |
| truck | [trʌk] | sunkvežimis *amer.* |
| true | [truː] | teisingas |
| trumpet | [ˈtrʌmpɪt] | trimitas |
| trunk | [trʌŋk] | straublys, kamienas |
| trunks | [trʌŋks] | glaudės |
| try | [traɪ] | bandyti |
| ✿ tried | [traɪd] | bandė |
| T-shirt | [ˈtiːʃɜːt] | marškinėliai (*teniso*) |
| tube | [tjuːb] | vamzdis |
| Tuesday | [ˈtjuːzdeɪ], [ˈtjuːzdi] | antradienis |
| tulip | [ˈtjuːlɪp] | tulpė |
| tune | [tjuːn] | melodija |
| tunnel | [ˈtʌnl] | tunelis |
| Turk | [tɜːk] | turkas |
| turkey | [ˈtɜːki] | kalakutas |
| Turkey | [ˈtɜːki] | Turkija |
| Turkish | [ˈtɜːkɪʃ] | turkiškas; turkų kalba |
| turn | [tɜːn] | pasukti |
| ✿ turned | [tɜːnd] | pasuko |

| | | |
|---|---|---|
| turn off | [ˌtɜːn ˈɒf] | išjungti, užsukti |
| ✿turned off | [ˌtɜːnd ˈɒf] | išjungė, užsuko |
| turn on | [ˌtɜːn ˈɒn] | įjungti, atsukti |
| ✿turned on | [ˌtɜːnd ˈɒn] | įjungė, atsuko |
| turn over | [ˌtɜːn ˈəʊvə] | apversti |
| ✿turned over | [ˌtɜːnd ˈəʊvə] | apvertė |
| turn round | [ˌtɜːn ˈraʊnd] | apsukti |
| ✿turned round | [ˌtɜːnd ˈraʊnd] | apsuko |
| tusk | [tʌsk] | iltis |
| TV set | [tiːˈviː ˌset] | televizorius |
| twelfth | [twelfθ] | dvyliktas |
| twelve | [twelv] | dvylika |
| twenty | [ˈtwenti] | dvidešimt |
| twentieth | [ˈtwentɪəθ] | dvidešimtas |
| twice | [twaɪs] | dukart |
| twig | [twɪg] | šakelė |
| twin | [twɪn] | dvynys |
| twinkle | [ˈtwɪŋkl] | žibsėti |
| ✿twinkled | [ˈtwɪŋkld] | žibsėjo |
| two | [tuː] | du |
| type | [taɪp] | rūšis, tipas |
| type | [taɪp] | spausdinti mašinėle, rinkti kompiuteriu |
| ✿typed | [taɪpt] | spausdino mašinėle, rinko kompiuteriu |
| tyre | [ˈtaɪə] | padanga |

## U u

| | | |
|---|---|---|
| UK | [ˌjuːˈkeɪ] | Jungtinė Karalystė |
| UFO | [ˈjuːfəʊ] | NSO |
| Ugh! | [ɜːh] | Fui! |
| ugly | [ˈʌgli] | bjaurus, negražus |
| umbrella | [ʌmˈbrelə] | lietsargis |
| uncle | [ˈʌŋkl] | dėdė |
| under | [ˈʌndə] | po |

| | | |
|---|---|---|
| underground | [ˈʌndəgraʊnd] | metro |
| underpants | [ˈʌndəpænts] | apatinės kelnės *amer.* |
| undershirt | [ˈʌndəʃɜːt] | apatiniai baltiniai |
| understand | [ˌʌndəˈstænd] | suprasti |
| ✿ understood | [ˌʌndəˈstʊd] | suprato |
| underwear | [ˈʌndəweə] | apatiniai drabužiai |
| unhappy | [ʌnˈhæpi] | nelaimingas |
| unhealthy | [ʌnˈhelθi] | nesveikas |
| uniform | [ˈjuːnɪfɔːm] | uniforma |
| United Kingdom | [juːˌnaitid ˈkɪŋdəm] | Jungtinė Karalystė |
| United States of America | [juːˌnaɪtɪd steɪts əv əˈmerɪkə] | Jungtinės Amerikos Valstijos |
| universe | [ˈjuːnɪvɜːs] | visata |
| until | [ənˈtɪl] | iki |
| unusual | [ʌnˈjuːʒʊəl] | neįprastas |
| up | [ʌp] | aukštyn |
| upon | [əˈpɒn] | ant |
| upset | [ʌpˈset] | nuliūdęs |
| upside-down | [ˌʌpsaɪdˈdaʊn] | aukštyn kojom |
| upstairs | [ʌpˈsteəz] | viršutiniame aukšte; viršun (*laiptais*) |
| Uranus | [jʊˈreɪnəs] | Uranas |
| us | [ʌs], [əs] | mus |
| USA | [ˌjuːesˈeɪ] | JAV |
| use | [juːz] | naudoti |
| ✿ used | [juːzd] | naudojo |
| useful | [ˈjuːsfəl] | naudingas |
| usually | [ˈjuːʒʊəli] | paprastai |

## V v

| | | |
|---|---|---|
| vacation | [vəˈkeɪʃn] | atostogos *amer.* |
| vacuum-cleaner | [ˈvækjʊəmkliːnə] | dulkių siurblys |
| valentine | [ˈvæləntaɪn] | meilės laiškelis |
| valley | [ˈvæli] | slėnis |
| valour | [ˈvælə] | drąsa, narsa |

A a B b C c D d E e F f G g H h I i J j K k L l M m N n O o P p Q q R r S s T t U u V v W w X x Y y Z z

| | | |
|---|---|---|
| vampire | [ˈvæmpaɪə] | vampyras |
| van | [væn] | furgonas |
| vase | [vɑːz] | vaza |
| vegetable | [ˈvedʒɪtəbl] | daržovė |
| vehicle | [ˈviːɪkl] | transporto priemonė |
| Venus | [ˈviːnəs] | Venera |
| verb | [vɜːb] | veiksmažodis |
| vertebra | [ˈvɜːtɪbrə] | slankstelis (*stuburo*) |
| very | [ˈveri] | labai |
| very well | [ˈveri wel] | labai gerai |
| vest | [vest] | liemenė *amer.* |
| vibration | [vaɪˈbreɪʃn] | virpėjimas |
| vice-principal | [ˌvaɪsˈprɪnsəpl] | direktoriaus pavaduotojas |
| video recorder | [ˈvɪdɪəʊ rɪkɔːdə] | vaizdo magnetofonas |
| village | [ˈvɪlɪdʒ] | kaimas |
| violet | [ˈvaɪələt] | žibutė *bot.*; violetinė spalva |
| violin | [ˌvaɪəˈlɪn] | smuikas |
| visit | [ˈvɪzɪt] | apsilankymas |
| visit | [ˈvɪzɪt] | lankyti |
| ✿ visited | [ˈvɪzɪtɪd] | lankė |
| vocabulary | [vəˈkæbjʊləri] | žodynėlis (*sąsiuvinis*) |
| voice | [vɒɪs] | balsas |
| volcano | [vɒlˈkeɪnəʊ] | vulkanas |
| volleyball | [ˈvɒlɪbɔːl] | tinklinis |

## W w

| | | |
|---|---|---|
| waist | [weɪst] | liemuo |
| wait | [weɪt] | laukti |
| ✿ waited | [ˈweɪtɪd] | laukė |
| waiter | [ˈweɪtə] | padavėjas |
| waitress | [ˈweɪtrɪs] | padavėja |
| wake | [weɪk] | pabusti, pažadinti |
| ✿ woke | [wəʊk] | pabudo, pažadino |

| | | |
|---|---|---|
| Wales | [weɪlz] | Velsas |
| walk | [wɔːk] | vaikščioti |
| ✿ walked | [wɔːkt] | vaikščiojo |
| walking | [ˈwɔːkɪŋ] | vaikščiojimas |
| walkman | [ˈwɔːkmən] | magnetofonas (*ausinukai*) |
| wall | [wɔːl] | siena |
| wand | [wɒnd] | burtų lazdelė |
| wander | [ˈwɒndə] | klajoti |
| ✿ wandered | [ˈwɒndəd] | klajojo |
| want | [wɒnt] | norėti, trokšti |
| ✿ wanted | [ˈwɒntɪd] | norėjo, troško |
| wardrobe | [ˈwɔːdrəʊb] | drabužių spinta |
| warm | [wɔːm] | šiltas |
| warmth | [wɔːmθ] | šiluma |
| warrior | [ˈwɒrɪə] | karys |
| ✿ was | | buvau, buvo (*būt. l.*) *žr.* am, is |
| wash | [wɒʃ] | prausti, skalbti |
| ✿ washed | [wɒʃt] | prausė, skalbė |
| washer | [ˈwɒʃə] | skalbimo mašina |
| washing | [ˈwɒʃɪŋ] | skalbimas |
| ✿ wasn't | | nebuvau, nebuvo (*būt. l.*) *žr.* isn't |
| wasp | [wɒsp] | vapsva |
| waste-paper basket | [ˈweɪstpeɪpə ˌbɑːskɪt] | šiukšlių dėžė *amer.* |
| ✿ were | | buvo (*būt. l.*) *žr.* are |
| watch | [wɒtʃ] | rankinis laikrodis |
| watch | [wɒtʃ] | stebėti, žiūrėti (TV) |
| ✿ watched | [wɒtʃt] | stebėjo, žiūrėjo (TV) |
| water | [ˈwɔːtə] | vanduo |
| waterfall | [ˈwɔːtəfɔːl] | krioklys |
| watermelon | [ˈwɔːtəmelən] | arbūzas |
| wave | [weɪv] | banga |
| way | [weɪ] | kelias (*būdas*) |
| we | [wiː] | mes |
| weak | [wiːk] | silpnas |
| wealth | [welθ] | turtas |

A a B b C c D d E e F f G g H h I i J j K k L l M m N n O o P p Q q R r S s T t U u V v **W w** X x Y y Z z

| | | |
|---|---|---|
| wealthy | [ˈwelθi] | turtingas |
| wear | [weə] | dėvėti |
| ✿ wore | [wɔː] | dėvėjo |
| weather | [ˈweðə] | oras (*klimatas*) |
| weather-forecast | [ˈweðə ˌfɔːkɑːst] | orų prognozė |
| web | [web] | voratinklis |
| Wednesday | [ˈwenzdeɪ], [ˈwenzdi] | trečiadienis |
| weed | [wiːd] | piktžolė |
| week | [wiːk] | savaitė |
| weekday | [ˈwiːkdeɪ] | šiokiadienis |
| weekend | [ˌwiːkˈend] | savaitgalis |
| weigh | [weɪ] | sverti |
| ✿ weighed | [weɪd] | svėrė |
| weight | [weɪt] | svoris |
| Welcome! | [ˈwelkəm] | Sveiki atvykę! |
| well | [wel] | gerai |
| ✿ went | | ėjo (*būt. l.*) *žr.* g o |
| ✿ were | buvo, buvote, buvote (*būt. l.*) *žr.* a r e | |
| ✿ weren't | nebuvo, nebuvote, nebuvote(*būt. l.*) *žr.* aren't | |
| west | [west] | vakarai |
| western | [ˈwestən] | vakarų |
| wet | [wet] | šlapias |
| whale | [weɪl] | banginis |
| what | [wɒt] | ką; kas; koks |
| What's the matter? | [ˌwɒts ðə ˈmætə] | Kas atsitiko? |
| wheel | [wiːl] | ratas (*automobilio*) |
| when | [wen] | kada |
| where | [weə] | kur |
| wherever | [wɛərˈevə] | bet kur, kur tik |
| which | [wɪtʃ] | kuris, kuri |
| while | [waɪl] | kol |
| whisper | [ˈwɪspə] | šnibždėti |
| ✿ whispered | [ˈwɪspəd] | šnibždėjo |
| whistle | [ˈwɪsl] | švilpukas |
| whistle | [ˈwɪsl] | švilpti |
| ✿ whistled | [ˈwɪsld] | švilpė |

| | | |
|---|---|---|
| white | [waɪt] | baltas |
| whizz-kid | [ˈwɪzkɪd] | žiniukas *šnek.* |
| who | [huː] | kas (*apie žmogų*) |
| whose | [huːz] | kieno |
| why | [waɪ] | kodėl |
| wide | [waɪd] | platus |
| wife | [waɪf] | žmona |
| wiggle | [ˈwɪgl] | judinti |
| ✿ wiggled | [ˈwɪgld] | judino |
| wild | [waɪld] | laukinis |
| wild boar | [ˈwaɪld bɔː] | šernas |
| will | [wɪl] | *būs. l. pagalbininkas* |
| willow | [ˈwɪləʊ] | gluosnis |
| win | [wɪn] | laimėti |
| ✿ won | [wʌn] | laimėjo |
| wind | [wɪnd] | vėjas |
| window | [ˈwɪndəʊ] | langas |
| windowsill | [ˈwɪndəʊsɪl] | palangė |
| windsurf | [ˈwɪndsɜːf] | banglenčių sportas |
| windy | [ˈwɪndi] | vėjuotas |
| wine | [waɪn] | vynas |
| wing | [wɪŋ] | sparnas |
| wink | [wɪŋk] | mirksėti |
| ✿ winked | [wɪŋkt] | mirksėjo |
| winner | [ˈwɪnə] | nugalėtojas |
| winter | [ˈwɪntə] | žiema |
| wise | [waɪz] | išmintingas |
| wish | [wɪʃ] | noras |
| wish | [wɪʃ] | norėti, linkėti |
| ✿ wished | [wɪʃt] | norėjo, linkėjo |
| witch | [wɪtʃ] | ragana |
| with | [wɪð] | su |
| without | [wɪˈðaʊt] | be |
| wizard | [ˈwɪzəd] | burtininkas |
| ✿ woke | | pabudo (*būt. l.*) *žr.* w a k e |
| wolf | [wʊlf] | vilkas |
| wolves | [wʊlvz] | vilkai |

A a B b C c D d E e F f G g H h I i J j K k L l M m N n O o P p Q q R r S s T t U u V v **W w** X x Y y Z z

| | | |
|---|---|---|
| woman | ['wʊmən] | moteris |
| women | ['wɪmɪn] | moterys |
| wonder | ['wʌndə] | nuostaba |
| wonder | ['wʌndə] | stebėtis |
| ✿ wondered | ['wʌndəd] | stebėjosi |
| wonderful | ['wʌndəfəl] | nuostabus |
| wonderland | ['wʌndəlænd] | stebuklų šalis |
| won't | [wəʊnt] | *sutrumpinta* will not |
| wood | [wʊd] | miškas; mediena |
| wood-pecker | ['wʊdpekə] | genys |
| wool | [wʊl] | vilna |
| word | [wɜːd] | žodis |
| ✿ wore | | dėvėjo (*būt. l.*) *žr.* w e a r |
| work | [wɜːk] | darbas, veikla |
| work | [wɜːk] | dirbti |
| ✿ worked | [wɜːkt] | dirbo |
| workman | ['wɜːkmən] | darbininkas |
| world | [wɜːld] | pasaulis |
| worm | [wɜːm] | kirmėlė |
| worry | ['wʌri] | nerimas |
| worse | [wɜːs] | blogesnis |
| worship | ['wɜːʃɪp] | garbinti |
| ✿ worshipped | ['wɜːʃɪpt] | garbino |
| worst | [wɜːst] | blogiausias |
| worth | [wɜːθ] | kaina, vertė |
| would | [wʊd], [wəd] | *vartojamas mandagiam prašymui reikšti* |
| would like | [wəd 'laɪk] | *vartojamas pageidavimui reikšti* |
| Wow! | [waʊ] | Oho! |
| wreath | [riːθ] | vainikas |
| wrist | [rɪst] | riešas |
| write | [raɪt] | rašyti |
| ✿ wrote | [rəʊt] | rašė |
| writing | ['raɪtɪŋ] | rašymas; rašysena |
| writing-paper | ['raɪtɪŋpeɪpə] | rašomasis popierius |
| wrong | [rɒŋ] | neteisingas |

## X x

| | | |
|---|---|---|
| Xmas | ['krɪsməs] | Kalėdos *šnek.* |
| X-ray | ['eksreɪ] | rentgeno spinduliai |
| xylophone | ['zaɪləfəʊn] | metalofonas |

## Y y

| | | |
|---|---|---|
| yacht | [jɒt] | jachta |
| yard | [jɑːd] | kiemas |
| yawn | [jɔːn] | žiovauti |
| ✿ yawned | [jɔːnd] | žiovavo |
| year | [jɪə] | metai |
| yellow | ['jeləʊ] | geltonas |
| yes | [jes] | taip |
| yesterday | ['jestədeɪ], ['jestədi] | vakar |
| yoghurt | ['jɒgət] | jogurtas |
| yo-yo | ['jəʊjəʊ] | jo-jo (žaidimas) |
| you | [juː], [ju], [jə] | tu, jūs |
| young | [jʌŋ] | jaunas |
| your | [jɔː], [jə] | tavo, jūsų (*su daiktv.*) |
| yours | [jɔːz] | tavo, jūsų (*be daiktv.*) |
| yourself | [jɔː'self], [jə'self] | tu pats (*vienas*) |
| yourselves | [jɔː'selvz], [jə'selvz] | jūs patys (*vieni*) |
| youth theatre | ['juːθ θɪətə] | jaunimo teatras |
| Yuk! | [jʌk] | Fu! |

## Z z

| | | |
|---|---|---|
| zebra | ['ziːbrə] | zebras |
| zebra-crossing | ['ziːbrəkrɒsɪŋ] | pėsčiųjų perėja |
| zero | ['zɪərəʊ] | nulis |
| zip | [zɪp] | užtraukti užtrauktuką |
| ✿ zipped | [zɪpt] | užtraukė užtrauktuką |
| zipper | ['zɪpə] | užtrauktukas |
| zoo | [zuː] | zoologijos sodas |

# LIETUVIŲ–ANGLŲ

## A a, Ą ą

| | | |
|---|---|---|
| abėcėlė | ABC | [ˌeɪbiːˈsiː] |
| | alphabet | [ˈælfəbet] |
| abi | both | [bəʊθ] |
| abrikosas | apricot | [ˈeɪprɪkət] |
| absurdiškas | absurd | [əbˈsɜːd] |
| abu | both | [bəʊθ] |
| Ačiū! | Thank you! | [ˈθæŋk ˌjuː] |
| adata | needle | [ˈniːdl] |
| adyti | mend | [mend] |
| adresas | address | [əˈdres] |
| Afrika | Africa | [ˈæfrɪkə] |
| agrastas | gooseberry | [ˈgʊzberi] |
| aguona | poppy | [ˈpɒpi] |
| agurkas | cucumber | [ˈkjuːkəmbə] |
| agurotis | melon | [ˈmelən] |
| aikštė | square | [skweə] |
| Airija | Ireland | [ˈaɪələnd] |
| Airijos jūra | Irish Sea | [ˌaɪrɪʃ ˈsiː] |
| aišku | of course | [əv ˈkɔːs] |
| aiškus | clear | [klɪə] |
| aitvaras | kite | [kaɪt] |
| akies vokas | eyelid | [ˈaɪlɪd] |
| akinantis | dazzling | [ˈdæzlɪŋ] |
| akiniai | glasses | [ˈglɑːsɪz] |
| *šnek.* | specs | [speks] |
| (*nuo saulės*) | sunglasses | [ˈsʌnglɑːsɪz] |
| akis | eye | [aɪ] |
| aklas | blind | [blaɪnd] |
| akmuo | stone | [stəʊn] |
| akrobatas | acrobat | [ˈækrəbæt] |
| aktorius | actor | [ˈæktə] |
| albatrosas | albatross | [ˈælbətrɒs] |

# KALBŲ ŽODYNAS

| | | |
|---|---|---|
| albumas | album | ['ælbəm] |
| aliejus | oil | [ɒɪl] |
| aligatorius | alligator | ['ælɪgeɪtə] |
| alyva (*vaisius*) | olive | ['ɒlɪv] |
| alkanas | hungry | ['hʌŋgri] |
| alksnis | alder | ['ɔːldə] |
| alkūnė | elbow | ['elbəʊ] |
| amatininkas | craftsman | ['krɑːftsmən] |
| Amerika | America | [ə'merɪkə] |
| amerikietis | American | [ə'merɪkən] |
| amerikietiškas | American | [ə'merɪkən] |
| amfibija | amphibian | [æm'fɪbɪən] |
| amžinai | forever | [fər'evə] |
| amžius | age | [eɪdʒ] |
| ananasas | pineapple | ['paɪnæpl] |
| ančiukas | duckling | ['dʌklɪŋ] |
| anglas | English | ['ɪŋglɪʃ] |
| | Englishman | ['ɪŋglɪʃmən] |
| anglė | Englishwoman | ['ɪŋglɪʃˌwʊmən] |
| angliškas | English | ['ɪŋglɪʃ] |
| anglų kalba | English | ['ɪŋglɪʃ] |
| Anglija | England | ['ɪŋglənd] |
| animacinis filmas | cartoon | [kɑː'tuːn] |
| anksti | early | ['ɜːli] |
| ankštas | tight | [taɪt] |
| ant | on | [ɒn] |
| (*žymint kryptį*) | onto | ['ɒntə] |
| (*syn. on*) | upon | [ə'pɒn] |
| ant kranto | ashore | [ə'ʃɔː] |
| antakis | eyebrow | ['aɪbraʊ] |
| Antarktida | Antarctica | [æn'tɑːktɪkə] |
| antena | antenna | [æn'tenə] |
| | aerial | ['eərɪəl] |
| antilopė | antelope | ['æntɪləʊp] |

A a Ą ą B b C c Č č D d E e Ė ė F f G g H h I i Į į Y y J j K k L l M m N n O o P p R r S s Š š T t U u Ū ū V v Z z Ž ž

| | | |
|---|---|---|
| antis | duck | [dʌk] |
| antklodė | blanket | [ˈblæŋkɪt] |
| antradienis | Tuesday | [ˈtjuːzdeɪ], [ˈtjuːzdi] |
| antras aukštas | first floor | [ˈfɜːst flɔː] |
| antras | second | [ˈsekənd] |
| antraštė | heading | [ˈhedɪŋ] |
| apačia | bottom | [ˈbɒtəm] |
| apačioje | below | [bɪˈləʊ] |
| apatinės kelnės | underpants | [ˈʌndəpænts] |
| apatiniai baltiniai | undershirt | [ˈʌndəʃɜːt] |
| apatiniai drabužiai | underwear | [ˈʌndəweə] |
| apatiniame aukšte | downstairs | [ˌdaʊnˈsteəz] |
| apatinis sijonas | petticoat | [ˈpetɪkəʊt] |
| apdovanojimas | reward | [rɪˈwɔːd] |
| apdovanoti | reward | [rɪˈwɔːd] |
| apelsinas | orange | [ˈɒrɪndʒ] |
| apgavystė | lie | [laɪ] |
| apibūdinti | describe | [dɪˈskraɪb] |
| apie | about | [əˈbaʊt] |
| apykaklė | collar | [ˈkɒlə] |
| apyrankė | bracelet | [ˈbreɪslət] |
| apkūni (*apie moterį*) | plump | [plʌmp] |
| aplankyti | visit | [ˈvɪzɪt] |
| aplink | around | [əˈraʊnd] |
| aprašymas | description | [dɪˈskrɪpʃn] |
| apsilankymas | visit | [ˈvɪzɪt] |
| apsimesti | pretend | [priˈtend] |
| apsirengti | dress | [dres] |
| | put on | [ˌpʊt ˈɒn] |
| apskritimas | circle | [ˈsɜːkl] |
| apsukti | turn round | [ˌtɜːn ˈraʊnd] |
| apsvaigęs | dizzy | [ˈdɪzi] |
| aptarimas | discussion | [dɪˈskʌʃn] |
| aptarti | discuss | [dɪˈskʌs] |
| apvalus | round | [raʊnd] |
| apversti | turn over | [ˌtɜːn ˈəʊvə] |

| | | |
|---|---|---|
| arabas | Arabian | [əˈreɪbɪən] |
| Arabija | Arabia | [əˈreɪbɪə] |
| arabiškas | Arabian | [əˈreɪbɪən] |
| arabų kalba | Arabian | [əˈreɪbɪən] |
| arba | or | [ɔː] |
| arbata | tea | [tiː] |
| arbatinis šaukštelis | teaspoon | [ˈtiːspuːn] |
| arbatinukas | teapot | [ˈtiːpɒt] |
| arbūzas | watermelon | [ˈwɔːtəmelən] |
| architektas | architect | [ˈɑːkɪtekt] |
| aritmetika | arithmetic | [əˈrɪθmətɪk] |
| Arka (Nojaus laivas) | Ark | [ɑːk] |
| arklidė | stable | [ˈsteɪbl] |
| arklys | horse | [hɔːs] |
| armija | army | [ˈɑːmi] |
| arti | near | [nɪə] |
| asilas | donkey | [ˈdɒŋki] |
| asmuo | person | [ˈpɜːsn] |
| ąsotis | jug | [dʒʌg] |
| astra *bot.* | aster | [ˈæstə] |
| astronautas | astronaut | [ˈæstrənɔːt] |
| astronomas | astronomer | [əˈstrɒnəmə] |
| astronomija | astronomy | [əˈstrɒnəmi] |
| aš | I | [aɪ] |
| aš esu | I am | [ˈaɪ əm] |
| Aš gyvenu puikiai! | I'm fine! | [ˌaɪm ˈfaɪn] |
| aš pati (viena) | myself | [maɪˈself] |
| aš pats (vienas) | myself | [maɪˈself] |
| ✿ aš turėjau | I'd got | [aɪd ˈgɒt] |
| aš turiu | I've got | [aɪv ˈgɒt] |
| ašara | tear | [tɪə] |
| aštrus | sharp | [ʃɑːp] |
| aštuonkojis | octopus | [ˈɒktəpəs] |
| aštuntas | eighth | [eɪtθ] |
| aštuoni | eight | [eɪt] |
| aštuoniasdešimt | eighty | [ˈeɪti] |

A a Ą ą B b C c Č č D d E e Ę ę Ė ė F f G g H h I i Į į Y y J j K k L l M m N n O o P p R r S s Š š T t U u Ų ų Ū ū V v Z z Ž ž

| | | |
|---|---|---|
| aštuoniasdešimtas | eightieth | ['eɪtɪəθ] |
| aštuoniolika | eighteen | [ˌeɪ'tiːn] |
| aštuonioliktas | eighteenth | [ˌeɪ'tiːnθ] |
| ateiti | come | [kʌm] |
| ateitis | future | ['fjuːtʃə] |
| ✿ atėjo | came | [keɪm] |
| Atėnai | Athens | ['æθɪnz] |
| atgal | back | [bæk] |
| | backwards | ['bækwədz] |
| atidaryti | open | ['əʊpn] |
| atidėti | put off | [ˌpʊt 'ɒf] |
| atimti *mat.* | subtract | [səb'trækt] |
| Atlantas | Atlantic | [ət'læntɪk] |
| ✿ atleido | forgave | [fə'geɪv] |
| Atleiskite! | Excuse me! | [ɪk'skjuːz mɪ] |
| atleisti | forgive | [fə'gɪv] |
| atletas | athlete | ['æθliːt] |
| atletika | athletics | [æθ'letɪks] |
| ✿ atnešė | brought | [brɔːt] |
| atnešti | bring | [brɪŋ] |
| atostogauti | on holiday | [ɒn 'hɒlədeɪ], [ɒn 'hɒlədi] |
| atostogos | holiday | ['hɒlədeɪ], ['hɒlədi] |
| *amer.* | vacation | [və'keɪʃn] |
| atsakymas | answer | ['ɑːnsə] |
| atsakyti | answer | ['ɑːnsə] |
| | reply | [rɪ'plaɪ] |
| atsargus | careful | ['keəfəl] |
| Atsiprašau! | I'm sorry! | [ˌaɪm 'sɒri] |
| *šnek.* | Sorry! | ['sɒri] |
| | Excuse me! | [ɪk'skjuːz mɪ] |
| | Pardon! | ['pɑːdn] |
| atsisėsti | sit down | [ˌsɪt 'daʊn] |
| atsistoti | stand up | [ˌstænd 'ʌp] |
| atsisveikinimas | farewell | [feə'wel] |
| atsitikimas | accident | ['æksɪdənt] |
| atsitikti | happen | ['hæpn] |

| | | |
|---|---|---|
| atspėti | guess | [ges] |
| atstumas | distance | ['dɪstəns] |
| atvykimas | arrival | [ə'raɪvl] |
| atvykti | arrive | [ə'raɪv] |
| atvirutė | card | [kɑːd] |
| | postcard | ['pəʊstkɑːd] |
| audeklas | cloth | [klɒθ] |
| audra | storm | [stɔːm] |
| (*su griaustiniu*) | thunderstorm | ['θʌndəstɔːm] |
| augalas | plant | [plɑːnt] |
| augintinis (*gyvūnėlis*) | pet | [pet] |
| ✿ augo | grew | [gruː] |
| augti | grow | [grəʊ] |
| auklė | nanny | ['næni] |
| | nurse | [nɜːs] |
| auksas | gold | [gəʊld] |
| auksinė žuvelė | goldfish | ['gəʊldfɪʃ] |
| auksinis | golden | ['gəʊldən] |
| aukštas | high | [haɪ] |
| (*apie žmogų*) | tall | [tɔːl] |
| aukštyn | up | [ʌp] |
| aukštyn kojom | upside-down | [ˌʌpsaɪd'daʊn] |
| aukštis | height | [haɪt] |
| aulinis batas | boot | [buːt] |
| ausinės | headphones | ['hedfəʊnz] |
| ausis | ear | [ɪə] |
| auskaras | earring | ['ɪərɪŋ] |
| Australija | Australia | [ɒ'streɪlɪə] |
| ausų skausmas | earache | ['ɪəreɪk] |
| autobusas | bus | [bʌs] |
| autobuso stotelė | bus-stop | ['bʌsstɒp] |
| autobuso vairuotojas | bus-driver | ['bʌsdraɪvə] |
| autobusu (*važiuoti*) | by bus | [baɪ 'bʌs] |
| autografas | autograph | ['ɔːtəgrɑːf] |
| automobilis | car | [kɑː] |


A a
Ą ą
B b
C c
Č č
D d
E e
Ė ė
F f
G g
H h
I i
Į į
Y y
J j
K k
L l
M m
N n
O o
P p
R r
S s
Š š
T t
U u
Ū ū
V v
Z z
Ž ž

A a
Ą ą
B b
C c
Č č
D d
E e
Ė ė
F f
G g
H h
I i
Į į
Y y
J j
K k
L l
M m
N n
O o
P p
R r
S s
Š š
T t
U u
Ū ū
V v
Z z
Ž ž

| | | |
|---|---|---|
| automobilių stovėjimo vieta | parking | [ˈpɑːkɪŋ] |
| autostrada | motorway | [ˈməʊtəweɪ] |
| aviacinis | aerial | [ˈeərɪəl] |
| avietė | raspberry | [ˈrɑːzberi] |
| avilys | hive | [haɪv] |
| avis | sheep | [ʃiːp] |
| avys | sheep | [ʃiːp] |
| Azija | Asia | [ˈeɪʃə] |
| ąžuolas | oak | [əʊk] |

## B b

| | | |
|---|---|---|
| badauti | starve | [stɑːv] |
| badmintonas | badminton | [ˈbædmɪntən] |
| bagažas | luggage | [ˈlʌgɪdʒ] |
| baidarė | canoe | [kəˈnuː] |
| baigti | end | [end] |
| bailus | scary | [ˈskeəri] |
| | shy | [ʃaɪ] |
| baimė | fear | [fɪə] |
| baisus | awful | [ˈɔːfəl] |
| | terrible | [ˈterəbl] |
| bakalėja | grocer's | [ˈgrəʊsəz] |
| baklažanas | eggplant | [ˈegplɑːnt] |
| bala | puddle | [ˈpʌdl] |
| balandis (*mėnuo*) | April | [ˈeɪprəl] |
| balandis (*paukštis*) | pigeon | [ˈpɪdʒɪn] |
| baldai | furniture | [ˈfɜːnɪtʃə] |
| balerina | ballerina | [ˌbæləˈriːnə] |
| baletas | ballet | [ˈbæleɪ] |
| balionas | balloon | [bəˈluːn] |
| balkonas | balcony | [ˈbælkəni] |
| balsas | voice | [vɒɪs] |
| baltas | white | [waɪt] |

| | | |
|---|---|---|
| bambukas | bamboo | [bæm'bu:] |
| bananas | banana | [bə'nɑ:nə] |
| banda (*gyvulių*) | herd | [hɜ:d] |
| bandelė | roll | [rəʊl] |
| bandymas | experiment | [ɪk'sperɪmənt] |
| bandyti | try | [traɪ] |
| banga | wave | [weɪv] |
| banginis | whale | [weɪl] |
| banglenčių sportas | windsurf | ['wɪndsɜ:f] |
| banglentė | surfboard | ['sɜ:fbɔ:d] |
| bangų mūša | surf | [sɜ:f] |
| bankas | bank | [bæŋk] |
| baras | bar | [bɑ:] |
| barzda | beard | [bɪəd] |
| baseinas | pool | [pu:l] |
| | swimming-pool | ['swɪmɪŋpu:l] |
| batas | shoe | [ʃu:] |
| batų parduotuvė | shoe shop | ['ʃu: ʃɒp] |
| batų raištelis | shoelace | ['ʃu:leɪs] |
| bausti | punish | ['pʌnɪʃ] |
| bažnyčia | church | [tʃɜ:tʃ] |
| be | without | [wɪ'ðaʊt] |
| bebras | beaver | ['bi:və] |
| begemotas | hippopotamus | [ˌhɪpə'pɒtəməs] |
| *šnek.* | hippo | ['hɪpəʊ] |
| bėgikas | runner | ['rʌnə] |
| bėgimas | running | ['rʌnɪŋ] |
| ✿ bėgo | ran | [ræn] |
| bėgti | run | [rʌn] |
| beisbolas | baseball | ['beɪsbɔ:l] |
| beisbolo lazda | bat | [bæt] |
| belsti | knock | [nɒk] |
| benzinas | petrol | ['petrəl] |
| beprotiškas | crazy | ['kreɪzi] |
| berniukas | boy | [bɒɪ] |

| | | |
|---|---|---|
| beržas | birch | [bɜːtʃ] |
| bet | but | [bʌt] |
| bet kas (*apie daiktą*) | anything | [ˈeniθɪŋ] |
| (*apie žmogų*) | anyone | [ˈeniwʌn] |
| (*apie žmogų*) | anybody | [ˈenibədi] |
| bet kur | anywhere | [ˈeniweə] |
| | wherever | [wɛərˈevə] |
| bet kuris (*klausiant, neig. sak.*) | any | [ˈeni] |
| beveik | nearly | [ˈnɪəli] |
| beždžionė | monkey | [ˈmʌŋki] |
| biblioteka | library | [ˈlaɪbrəri] |
| bifšteksas | steak | [steɪk] |
| biliardas | billiard | [ˈbɪlɪəd] |
| bilietas | ticket | [ˈtɪkɪt] |
| bilietų kasa | ticket office | [ˈtɪkɪt ɒfɪs] |
| birželis | June | [dʒuːn] |
| bitė | bee | [biː] |
| bjaurus (*šlykštus*) | disgusting | [dɪsˈgʌstɪŋ] |
| (*baisus*) | horrible | [ˈhɒrəbl] |
| | nasty | [ˈnɑːsti] |
| (*negražus*) | ugly | [ˈʌgli] |
| blakstiena | eyelash | [ˈaɪlæʃ] |
| blauzda | calf | [kɑːf] |
| blauzdos | calves | [kɑːlvz] |
| blizginti | polish | [ˈpɒlɪʃ] |
| blynas | pancake | [ˈpænkeɪk] |
| blyškus | pale | [peɪl] |
| blogai | badly | [ˈbædli] |
| blogas | bad | [bæd] |
| blogesnis | worse | [wɜːs] |
| blogiausias | worst | [wɜːst] |
| blusa | flea | [fliː] |
| boksas | boxing | [ˈbɒksɪŋ] |
| bokštas | tower | [ˈtaʊə] |
| boružė | ladybird | [ˈleɪdibɜːd] |

| | | |
|---|---|---|
| botanikos sodas | botanical garden | [bəˌtænɪkl ˈgɑːdn] |
| brangenybės | jewellery | [ˈdʒuːəlri] |
| brangus (*mielas*) | dear | [dɪə] |
| (*kaina didelė*) | expensive | [ɪkˈspensɪv] |
| braškė | strawberry | [ˈstrɔːbəri] |
| Brazilija | Brazil | [brəˈzɪl] |
| brėžinys | diagram | [ˈdaɪəgræm] |
| briedis | elk | [elk] |
| Britanija | Britain | [ˈbrɪtn] |
| britaniškas | British | [ˈbrɪtɪʃ] |
| brokolis | broccoli | [ˈbrɒkəli] |
| brolis | brother | [ˈbrʌðə] |
| bronzinis | bronze | [brɒnz] |
| bruknė | cowberry | [ˈkaʊberi] |
| brūkšnys | line | [laɪn] |
| bučiuoti(s) | kiss | [kɪs] |
| budintis | on duty | [ɒn ˈdjuːti] |
| būdvardis | adjective | [ˈædʒɪktɪv] |
| bugienis | holly | [ˈhɒli] |
| būgnas | drum | [drʌm] |
| bukas (*apie žmogų*) | dumb | [dʌm] |
| bulius | bull | [bʊl] |
| bulvė | potato | [pəˈteɪtəʊ] |
| burinis laivas | sailboat | [ˈseɪlbəʊt] |
| burna | mouth | [maʊθ] |
| burokas | beet | [biːt] |
| burtininkas | wizard | [ˈwɪzəd] |
| burtininkas | magician | [məˈdʒɪʃn] |
| burtų lazdelė | wand | [wɒnd] |
| *būs. l. pagalb. veiksm. (I a. vns. ir dgs.)* | shall | [ʃæl], [ʃəl] |
| *būs. l. pagalb. veiksm. (visiems asmenimis)* | will | [wɪl] |
| butas | flat | [flæt] |
| *amer.* | apartment | [əˈpɑːtmənt] |
| butelis | bottle | [ˈbɒtl] |

| | | |
|---|---|---|
| *būt. l. pagalb. veiksm.* | did | [dɪd] |
| būti | be | [biː] |
| būti apsirengusiam | have on | [ˌhæv ˈɒn] |
| būti peršalusiam | have a cold | [ˌhæv ə ˈkəʊld] |
| būtybė | creature | [ˈkriːtʃə] |
| ✿ buvau (*aš*) | was | [wɒz], [wəz] |
| ✿ buvo (*jis, ji*) | was | [wɒz], [wəz] |
| ✿ buvo (*jie, jos*) | were | [wɜː], [weə] |
| ✿ buvome (*mes*) | were | [wɜː], [weə] |
| ✿ buvote (*jūs*) | were | [wɜː], [weə] |

## C c

| | | |
|---|---|---|
| centimetras | centimetre | [ˈsentɪmiːtə] |
| centras | centre | [ˈsentə] |
| centrinis šildymas | central heating | [ˌsentrəl ˈhiːtɪŋ] |
| ceremonija | ceremony | [ˈserəməni] |
| Cha! Cha! | Ha! Ha! | [ˌhɑːˈhɑː] |
| chalatas | dressing-gown | [ˈdresɪŋgaʊn] |
| choras | choir | [ˈkwaɪə] |
| chrizantema | chrysanthemum | [krɪˈsænθəməm] |
| chuliganas | bully | [ˈbʊli] |
| cirkas | circus | [ˈsɜːkəs] |
| citrina | lemon | [ˈlemən] |
| colis (*2,5 cm*) | inch | [ɪntʃ] |
| cukrus | sugar | [ˈʃʊgə] |

## Č č

| | | |
|---|---|---|
| čempionas | champion | [ˈtʃæmpɪən] |
| čia | here | [hɪə] |
| čiuožėjas | skater | [ˈskeɪtə] |
| čiuožykla | skating-rink | [ˈskeɪtɪŋrɪŋk] |
| čiuožimas | skating | [ˈskeɪtɪŋ] |

| | | |
|---|---|---|
| čiužinys | mattress | ['mætrɪs] |
| čiuožti (*pačiūžomis*) | skate | [skeɪt] |

## D d

| | | |
|---|---|---|
| dabar | now | [naʊ] |
| dabartinis | present | ['prezənt] |
| daiktas | thing | [θɪŋ] |
| daiktavardis | noun | [naʊn] |
| dailė | art | [ɑːt] |
| dailės pamoka | art | [ɑːt] |
| dailininkas | artist | ['ɑːtɪst] |
| daina | song | [sɒŋ] |
| ✿ dainavo | sang | [sæŋ] |
| dainininkas | singer | ['sɪŋgə] |
| dainuoti | sing | [sɪŋ] |
| daktaras | doctor | ['dɒktə] |
| dalykas | object | ['ɒbdʒɪkt] |
| dalyti | divide | [dɪ'vaɪd] |
| dalytis | share | [ʃeə] |
| dalis | part | [pɑːt] |
| | section | ['sekʃn] |
| dangtis | lid | [lɪd] |
| | cover | ['kʌvə] |
| dangus | heaven | ['hevn] |
| | sky | [skaɪ] |
| dantis | tooth | [tuːθ] |
| dantys | teeth | [tiːθ] |
| dantistas | dentist | ['dentɪst] |
| dantų pasta | toothpaste | ['tuːθpeɪst] |
| dantų skausmas | toothache | ['tuːθeɪk] |
| dantų šepetėlis | toothbrush | ['tuːθbrʌʃ] |
| darbas (*tarnyba*) | job | [dʒɒb] |
| (*triūsas*) | labour | ['leɪbə] |
| (*veikla*) | work | [wɜːk] |

A a Ą ą B b C c Č č **D d** E e Ė ė F f G g H h I i Į į Y y J j K k L l M m N n O o P p R r S s Š š T t U u Ū ū V v Z z Ž ž

| | | |
|---|---|---|
| darbininkas | workman | ['wɜːkmən] |
| ✿ darė | did | [dɪd] |
| daryti | do | [duː] |
| daržas | garden | ['gɑːdn] |
| daržovė | vegetable | ['vedʒɪtəbl] |
| daržovių ir vaisių parduotuvė | greengrocer's | [ˌgriːn'grəʊsəz] |
| data | date | [deɪt] |
| daug (*su skaič. daiktav.*) | many | ['meni] |
| (*su neskaič. daiktav.*) | much | [mʌtʃ] |
| daugiau | more | [mɔː] |
| daugiausia | most | [məʊst] |
| daugybė | a lot of | [ə 'lɒt əv] |
| dauginti | multiply | ['mʌltɪplaɪ] |
| ✿ davė | gave | [geɪv] |
| dažai | paint | [peɪnt] |
| dažyti | paint | [peɪnt] |
| dažnai | often | ['ɒfn] |
| debesis | cloud | [klaʊd] |
| debesuotas | cloudy | ['klaʊdi] |
| dėdė | uncle | ['ʌŋkl] |
| degalinė | petrol station | [ˌpetrəl 'steɪʃn] |
| ✿ degė | burnt | [bɜːnt] |
| degti | burn | [bɜːn] |
| degtukas | match | [mætʃ] |
| deimantas | diamond | ['daɪəmənd] |
| ✿ dėjo | put | [put] |
| dėkingas | grateful | ['greɪtfəl] |
| deklamuoti | recite | [rɪ'saɪt] |
| dėkoti | thank | [θæŋk] |
| dėl | for | [fɔː], [fə] |
| delfinas | dolphin | ['dɒlfɪn] |
| delnas | palm | [pɑːm] |
| dėmesingas | considerate | [kən'sɪdərɪt] |
| dėmė | spot | [spɒt] |
| demonstracija | demonstration | [ˌdemən'streɪʃn] |
| derlius | harvest | ['hɑːvɪst] |

| desertas | dessert | [dɪ'zɜːt] |
|---|---|---|
| dešimt | ten | [ten] |
| dešimtas | tenth | [tenθ] |
| dešinė | right | [raɪt] |
| dešra | sausage | ['sɒsɪdʒ] |
| dešrainis *amer.* | hot dog | ['hɒt dɒg] |
| dėti | put | [pʊt] |
| ✿ dėvėjo | wore | [wɔː] |
| dėvėti | wear | [weə] |
| devyni | nine | [naɪn] |
| devyniasdešimt | ninety | ['naɪnti] |
| devyniasdešimtas | ninetieth | ['naɪntɪəθ] |
| devyniolika | nineteen | [ˌnaɪn'tiːn] |
| devynioliktas | nineteenth | [ˌnaɪn'tiːnθ] |
| devintas | ninth | [naɪnθ] |
| dėžė | box | [bɒks] |
| dėžutė | case | [keɪs] |
| didelis | big | [bɪg] |
| (*stambus*) | large | [lɑːdʒ] |
| Didieji Grįžulo Ratai | Great Bear | [ˌgreɪt 'beə] |
| didingas | grand | [grænd] |
| Didysis penktadienis | Good Friday | [ˌgʊd 'fraɪdi] |
| Didžioji Britanija | Great Britain | [ˌgreɪt 'brɪtn] |
| didis | great | [greɪt] |
| didžiulis | huge | [hjuːdʒ] |
| | enormous | [ɪ'nɔːməs] |
| diena | day | [deɪ] |
| dienoraštis | diary | ['daɪəri] |
| dienos metas | daytime | ['deɪtaɪm] |
| dienos šviesa | daylight | ['deɪlaɪt] |
| Dievas | God | [gɒd] |
| dygliuotas | prickly | ['prɪkli] |
| diktantas | dictation | [dɪk'teɪʃn] |
| dykuma | desert | ['dezət] |
| dingti | disappear | [ˌdɪsə'pɪə] |
| dinozauras | dinosaur | ['daɪnəsɔː] |
| dirbti | work | [wɜːk] |

| | | |
|---|---|---|
| direktorė | headmistress | [ˈhedmɪstrɪs] |
| direktoriaus pavaduotojas | vice-principal | [ˌvaɪsˈprɪnsəpl] |
| direktorius | | |
| (*mokyklos*) | headmaster | [ˈhedmɑːstə] |
| | principal | [ˈprɪnsəpl] |
| (*įmonės*) | director | [dɪˈrektə] |
| diržas | belt | [belt] |
| diskoteka | discotheque | [ˈdɪskətek] |
| *šnek.* | disco | [ˈdɪskəʊ] |
| dobilas | clover | [ˈkləʊvə] |
| dokumentinis | documentary | [ˌdɒkjʊˈmentəri] |
| doleris | dollar | [ˈdɒlə] |
| dosnus | generous | [ˈdʒenərəs] |
| dovana | gift | [gɪft] |
| | present | [ˈpreznt] |
| drabužiai | clothes | [kləʊðz] |
| drabužių spinta | wardrobe | [ˈwɔːdrəʊb] |
| drakonas | dragon | [ˈdrægən] |
| dramblys | elephant | [ˈelɪfənt] |
| dramos teatras | drama theatre | [ˈdrɑːmə θɪətə] |
| drąsa (*narsa*) | valour | [ˈvælə] |
| ✿ draskė | tore | [tɔː] |
| draskyti | tear | [teə] |
| drąsus | brave | [breɪv] |
| | bold | [bəʊld] |
| draugas | friend | [frend] |
| draugija | company | [ˈkʌmpəni] |
| drausmė | discipline | [ˈdɪsɪplɪn] |
| ✿ drebėjo | shook | [ʃʊk] |
| drebėti | shake | [ʃeɪk] |
| driežas | lizard | [ˈlɪzəd] |
| drįsti | dare | [deə] |
| dryžis | stripe | [straɪp] |
| dryžuotas | striped | [straɪpt] |
| drovus | shy | [ʃaɪ] |
| drožtukas | pencil-sharpener | [ˈpenslʃɑːpənə] |
| drugelis | butterfly | [ˈbʌtəflaɪ] |

| | | |
|---|---|---|
| druska | salt | [sɔːlt] |
| du | two | [tuː] |
| dubenėlis | bowl | [bəʊl] |
| Dublinas | Dublin | [ˈdʌblɪn] |
| dubuo | basin | [ˈbeɪsn] |
| dujos | gas | [gæs] |
| dukart | twice | [twaɪs] |
| duktė | daughter | [ˈdɔːtə] |
| dukterėčia | niece | [niːs] |
| dulkės | dust | [dʌst] |
| dulkių siurblys | vacuum-cleaner | [ˈvækjʊəmkliːnə] |
| dulkių šluostukas | duster | [ˈdʌstə] |
| dūmai | fume | [fjuːm] |
| | smoke | [sməʊk] |
| duona | bread | [bred] |
| duoninė | breadbin | [ˈbredbɪn] |
| duonos parduotuvė | baker's | [ˈbeɪkəz] |
| duoti | give | [gɪv] |
| durininkas | butler | [ˈbʌtlə] |
| durys | door | [dɔː] |
| dūris | prick | [prɪk] |
| dušas | shower | [ˈʃaʊə] |
| dvidešimt | twenty | [ˈtwenti] |
| dvidešimtas | twentieth | [ˈtwentɪəθ] |
| dvylika | twelve | [twelv] |
| dvyliktas | twelfth | [twelfθ] |
| dvynys | twin | [twɪn] |
| dviratis | bicycle | [ˈbaɪsɪkl] |
| *šnek.* | bike | [baɪk] |
| dziudo | judo | [ˈdʒuːdəʊ] |
| džiaugsmas | joy | [dʒɒɪ] |
| | fun | [fʌn] |
| džinsai | jeans | [dʒiːns] |
| džiovinti | dry | [draɪ] |
| džiovintuvas | dryer | [ˈdraɪə] |
| džiunglės | jungle | [ˈdʒʌŋgl] |

## E e, Ė ė

| | | |
|---|---|---|
| Edinburgas | Edinburgh | ['edɪnbərə] |
| efektas | effect | [ɪ'fekt] |
| Egiptas | Egypt | ['iːdʒɪpt] |
| eglė | fir | [fɜː] |
| | fir-tree | ['fɜːtriː] |
| egzaminas | examination | [ɪgˌzæmɪ'neɪʃn] |
| *šnek.* | exam | [ɪg'zæm] |
| eilė | queue | [kjuː] |
| | row | [rəʊ] |
| eilėraštis | poem | ['pəʊɪm] |
| (*trumpas*) | rhyme | [raɪm] |
| eime (*kviesti ką nors daryti*) | let's go | [lets 'gəʊ] |
| eismas | traffic | ['træfɪk] |
| eismo taisyklės | traffic rules | ['træfɪk ruːlz] |
| eiti | go | [gəʊ] |
| eiti pasivaikščioti | go for a walk | [ˌgəʊ fər ə 'wɔːk] |
| ✿ ėjo | went | [went] |
| ekranas | screen | [skriːn] |
| ekskursija | excursion | [ɪk'skɜːʃn] |
| eksponatas | exhibit | [ɪg'zɪbɪt] |
| elektra | electricity | [ɪˌlek'trɪsəti] |
| elektros lemputė | light-bulb | ['laɪtbʌlb] |
| elfas | elf | [elf] |
| elgeta | beggar | ['begə] |
| elgtis | treat | [triːt] |
| elnė (*stirna*) | hind | [haɪnd] |
| | roe | [rəʊ] |
| elnias | deer | [dɪə] |
| ✿ ėmė | took | [tʊk] |
| erdvė | space | [speɪs] |
| erdvėlaivis | spacecraft | ['speɪskrɑːft] |
| erelis | eagle | ['iːgl] |
| ėriukas | lamb | [læm] |

| | | |
|---|---|---|
| *es. l. vns. 3 asm. pagalb. veiksm.* | does | [dʌz], [dəz] |
| *es. l. pagalb. veiksm.* | do | [du:] |
| esame (*mes*) | are | [ɑ:], [ə] |
| esate (*jūs*) | are | [ɑ:], [ə] |
| esi (*tu*) | are | [ɑ:], [ə] |
| estas | Estonian | [es'təʊnɪən] |
| Estija | Estonia | [es'təʊnɪə] |
| estiškas | Estonian | [es'təʊnɪən] |
| estų kalba | Estonian | [es'təʊnɪən] |
| esu | am | [æm], [əm] |
| ešerys | perch | [pɜ:tʃ] |
| etiketė | label | ['leɪbl] |
| (*kabanti*) | tag | [tæg] |
| Europa | Europe | ['jʊərəp] |
| ežeras | lake | [leɪk] |
| ežys | hedgehog | ['hedʒhɒg] |

## F f

| | | |
|---|---|---|
| fabrikas | factory | ['fæktəri] |
| faksas | fax | [fæks] |
| fantastiškas | fantastic | [fæn'tæstɪk] |
| faraonas | Pharaoh | ['feərəʊ] |
| fejerverkas | firework | ['faɪəwɜ:k] |
| fėja | fairy | ['feəri] |
| filmas | film | [fɪlm] |
| fizinis lavinimas | physical training | [ˌfɪzɪkl 'treɪnɪŋ] |
| fleita | flute | [flu:t] |
| fokusas | magic trick | [ˌmædʒɪk 'trɪk] |
| fokusininkas | magician | [mə'dʒɪʃn] |
| fonetinis | phonetic | [fə'netɪk] |
| fontanas | fountain | ['faʊntɪn] |
| forma | shape | [ʃeɪp] |
| fotelis | armchair | ['ɑ:mtʃeə] |

| | | |
|---|---|---|
| fotoaparatas | camera | [ˈkæmərə] |
| fotoreporteris | cameraman | [ˈkæmərəmən] |
| fotografas | photographer | [fəˈtɒgrəfə] |
| fotografavimas | photography | [fəˈtɒgrəfi] |
| fotografuoti | take a photo | [ˌteɪk ə ˈfəʊtəʊ] |
| Fu! | Yuk! | [jʌk] |
| Fui! | Ugh! | [ɜːh] |
| furgonas | van | [væn] |
| futbolas | football | [ˈfʊtbɔːl] |

## G g

| | | |
|---|---|---|
| gabalėlis | piece | [piːs] |
| gaidelis | cockerel | [ˈkɒkərəl] |
| galbūt | perhaps | [pəˈhæps] |
| galaktika | galaxy | [ˈgæləksi] |
| ✿ galėjo (*mokėjo*) | could | [kʊd], [kəd] |
| galėti (*mokėti*) | can | [kæn], [kən] |
| (*prašant*) | may | [meɪ] |
| (*abejojant*) | might | [maɪt] |
| galimas | possible | [ˈpɒsəbl] |
| galingas | powerful | [ˈpaʊəfəl] |
| galva | head | [hed] |
| ✿ galvojo | thought | [θɔːt] |
| galvos skausmas | headache | [ˈhedeɪk] |
| galvosūkis | puzzle | [ˈpʌzl] |
| galvoti | think | [θɪŋk] |
| ✿ gamino | made | [meɪd] |
| gaminti | make | [meɪk] |
| gamta | nature | [ˈneɪtʃə] |
| gamtos pamoka | nature | [ˈneɪtʃə] |
| gandras | stork | [stɔːk] |
| ganytis | graze | [greɪz] |
| garai | steam | [stiːm] |
| garažas | garage | [ˈgærɑːʒ] |

| | | |
|---|---|---|
| garbanotas | curly | [ˈkɜːli] |
| garbinti | worship | [ˈwɜːʃɪp] |
| garsas | sound | [saʊnd] |
| garsiai | aloud | [əˈlaʊd] |
| garstyčios | mustard | [ˈmʌstəd] |
| garsus | loud | [laʊd] |
| garvežio mašinistas | engine-driver | [ˈendʒɪndraɪvə] |
| garvežys | engine | [ˈendʒɪn] |
| gąsdinti | frighten | [ˈfraɪtn] |
| gatvė | street | [striːt] |
| gaublys | globe | [gləʊb] |
| ✿ gaudė | caught | [kɔːt] |
| gaudyti | catch | [kætʃ] |
| gauti | get | [get] |
| ✿ gavo | got | [gɒt] |
| gebėjimas | facility | [fəˈsɪləti] |
| gegutė | cuckoo | [ˈkʊkuː] |
| gegužė | May | [meɪ] |
| gėlas vanduo | freshwater | [ˈfreʃwɔːtə] |
| gelbėjimo valtis | lifeboat | [ˈlaɪfbəʊt] |
| gelbėti | rescue | [ˈreskjuː] |
| (*išsaugoti*) | save | [seɪv] |
| gėlė | flower | [ˈflaʊə] |
| gėlėtas | flowered | [ˈflaʊəd] |
| gėlių vazonas | flowerpot | [ˈflaʊəpɒt] |
| geležinkelio stotis | railway station | [ˌreɪlweɪ ˈsteɪʃn] |
| geležinkelis | railway | [ˈreɪlweɪ] |
| geležis | iron | [ˈaɪən] |
| ✿ gėlė (*įgėlė*) | stung | [stʌŋ] |
| gėlininkas | florist | [ˈflɒrɪst] |
| gelti | sting | [stɪŋ] |
| geltonas | yellow | [ˈjeləʊ] |
| genealoginis medis | family-tree | [ˈfæməlitriː] |
| genys | wood-pecker | [ˈwʊdpekə] |

A a Ą ą B b C c Č č D d E e Ė ė F f **G g** H h I i Į į Y y J j K k L l M m N n O o P p R r S s Š š T t U u Ū ū V v Z z Ž ž

A a Ą ą B b C c Č č D d E e Ė ė F f **G g** H h I i Į į Y y J j K k L l M m N n O o P p R r S s Š š T t U u Ū ū V v Z z Ž ž

| | | |
|---|---|---|
| gentis | tribe | [traɪb] |
| geografija | geography | [dʒɪ'ɒgrəfi] |
| gerai | well | [wel] |
| Gerai! | OK! | [ˌəʊ 'keɪ] |
| malonai leisti laiką | have a good time | [ˌhæv ə gʊd 'taɪm] |
| geras | good | [gʊd] |
| ✿ gėrė | drank | [dræŋk] |
| gėrėtis | admire | [əd'maɪə] |
| geriau | better | ['betə] |
| geriausias | best | [best] |
| gėrimas | drink | [drɪŋk] |
| gerklė | throat | [θrəʊt] |
| gero būdo | good-tempered | [ˌgʊd'tempəd] |
| gerti | drink | [drɪŋk] |
| gerumas | goodness | ['gʊdnɪs] |
| gydytojas | doctor | ['dɒktə] |
| gilė | acorn | ['eɪkɔːn] |
| gilus | deep | [diːp] |
| gimęs | born | [bɔːn] |
| gimimo diena | birthday | ['bɜːθdeɪ], ['bɜːθdi] |
| gimimo liudijimas | BC | [ˌbɜːθ sə'tɪfɪkət] |
| gimimo vieta | birthplace | ['bɜːθpleɪs] |
| gimnastas | gymnast | [dʒɪm'næst] |
| gimnastika | gymnastics | [dʒɪm'næstɪks] |
| gimtoji kalba | mother-tongue | ['mʌðətʌŋ] |
| ginčas | quarrel | ['kwɒrəl] |
| ginčytis | quarrel | ['kwɒrəl] |
| gintaras | amber | ['æmbə] |
| ✿ girdėjo | heard | [hɜːd] |
| girdėti | hear | [hɪə] |
| girtis | boast | [bəʊst] |
| gitara | guitar | [gɪ'tɑː] |
| gitaristas | guitarist | [gɪ'tɑːrɪst] |
| gyvas | alive | [ə'laɪv] |
| gyvatė | snake | [sneɪk] |
| gyvatvorė | hedge | [hedʒ] |

| | | |
|---|---|---|
| gyvenimas | life | [laɪf] |
| gyventi | live | [lɪv] |
| gyvūnas | animal | [ˈænɪml] |
| gyvūnėlių parduotuvė | pet shop | [ˈpet ʃɒp] |
| glaudės | trunks | [trʌŋks] |
| gluosnis | willow | [ˈwɪləʊ] |
| gobtuvas | hood | [hʊd] |
| godus | greedy | [ˈgriːdi] |
| golfas | golf | [gɒlf] |
| gorila | gorilla | [gəˈrɪlə] |
| grafas | count | [kaʊnt] |
| graikas | Greek | [griːk] |
| Graikija | Greece | [griːs] |
| graikiškas | Greek | [griːk] |
| graikų kalba | Greek | [griːk] |
| gramas | gramme | [græm] |
| grandinė | chain | [tʃeɪn] |
| gražiai atrodantis | fine looking | [ˌfaɪn ˈlʊkɪŋ] |
| gražus | beautiful | [ˈbjuːtɪfəl] |
| | lovely | [ˈlʌvli] |
| | nice | [naɪs] |
| (*apie vyrą*) | handsome | [ˈhænsəm] |
| graži (*apie moteris*) | pretty | [ˈprɪti] |
| grėblys | rake | [reɪk] |
| greipfrutas | grapefruit | [ˈgreɪpfruːt] |
| greitai | soon | [suːn] |
| greitas | fast | [fɑːst] |
| greitkelis | highway | [ˈhaɪweɪ] |
| greta | next to | [ˈnekst tə] |
| gręžti | drill | [drɪl] |
| griaučiai | skeleton | [ˈskelɪtn] |
| griaustinis | thunder | [ˈθʌndə] |
| griauti | destroy | [dɪˈstrɒɪ] |
| grybas | mushroom | [ˈmʌʃrʊm] |
| grietinėlė | cream | [kriːm] |

| | | |
|---|---|---|
| grindys | floor | [flɔː] |
| grobikas | invader | [ɪnˈveɪdə] |
| grožis | beauty | [ˈbjuːti] |
| grūdai | grain | [greɪn] |
| grupė | group | [gruːp] |
| grūsti | crush | [krʌʃ] |
| gruodis | December | [dɪˈsembə] |
| gudrus (*šaunus*) | smart | [smɑːt] |
| gulbė | swan | [swɒn] |
| ✿ gulėjo | lay | [leɪ] |
| gulėti | lie | [laɪ] |
| gumos juostelė | elastic tape | [ɪˌlæstɪk ˈteɪp] |
| guoba | elm | [elm] |
| gurkšnelis | sip | [sɪp] |
| gurkšnis | swallow | [ˈswɒləʊ] |
| gvazdikas *bot.* | carnation | [kɑːˈneɪʃn] |

## H h

| | | |
|---|---|---|
| hidroplanas | seaplane | [ˈsiːpleɪn] |

## I i, Į į, Y y

| | | |
|---|---|---|
| į (*į vidų*) | into | [ˈɪntə] |
| (*žymi kryptį*) | to | [tə] |
| (*verčiamas viet. l.*) | in | [ɪn] |
| (*žymi laiką, vietą*) | towards | [təˈwɔːdz] |
| Į sveikatą! (*čiaudėjant*) | Bless you! | [ˈbles ˌjuː] |
| idėja | idea | [aɪˈdɪə] |
| įdomių vietų apžiūrėjimas | sightseeing | [ˈsaɪtsiːɪŋ] |
| įdomus | interesting | [ˈɪntrɪstɪŋ] |
| įdrėksti | scratch | [skrætʃ] |
| įeiti | enter | [ˈentə] |
| įėjimas | entrance | [ˈentrəns] |

| | | |
|---|---|---|
| ieškoti | look for | [ˌlʊk ˈfɔː] |
| įjungti | switch on | [ˌswɪtʃ ˈɒn] |
| | turn on | [ˌtɜːn ˈɒn] |
| iki (*kol*) | till | [tɪl] |
| | until | [ənˈtɪl] |
| Iki! (*atsisveikinant*) | Bye-bye! | [ˌbaɪ ˈbaɪ] |
| | See you! | [ˈsiː ˌjuː] |
| ilgas | long | [lɒŋ] |
| ilgis | lengh | [leŋθ] |
| įlįsti | get into | [ˌget ˈɪntə] |
| ilsėtis | rest | [rest] |
| iltis | tusk | [tʌsk] |
| imperatorius | emperor | [ˈempərə] |
| imperija | empire | [ˈempaɪə] |
| imti | take | [teɪk] |
| indas | dish | [dɪʃ] |
| indauja | cupboard | [ˈkʌbəd] |
| indėnas | Indian | [ˈɪndɪən] |
| indėnų kalba | Indian | [ˈɪndɪən] |
| Indija | India | [ˈɪndɪə] |
| indų plovimo mašina | dishwasher | [ˈdɪʃwɒʃə] |
| įniršęs | furious | [ˈfjʊərɪəs] |
| injekcija | injection | [ɪnˈdʒekʃn] |
| instrukcija | instruction | [ɪnˈstrʌkʃn] |
| instrumentas | instrument | [ˈɪnstrəmənt] |
| interviu | interview | [ˈɪntəvjuː] |
| inžinierius | engineer | [ˌendʒɪˈnɪə] |
| ypač | especially | [ɪˈspeʃəli] |
| ypatingas | special | [ˈspeʃəl] |
| įprastas | ordinary | [ˈɔːdnri] |
| | traditional | [trəˈdɪʃnəl] |
| ir | and | [ənd] |
| yra (*jis, ji*) | is | [ɪz] |
| (*jie, jos*) | are | [ɑː] |
| irklas | oar | [ɔː] |
| (*baidarei*) | paddle | [ˈpædl] |

A a Ą ą B b C c Č č D d E e Ė ė F f G g H h **I i** **Į į** **Y y** J j K k L l M m N n O o P p R r S s Š š T t U u Ū ū V v Z z Ž ž

| | | |
|---|---|---|
| irklinė valtis | rowboat | [ˈrəʊbəʊt] |
| irkluoti | row | [rəʊ] |
| irzlus | bad-tempered | [ˌbædˈtempəd] |
| įsidurti | prick | [prɪk] |
| įsiveržėlis | invader | [ɪnˈveɪdə] |
| ispanas | Spanish | [ˈspænɪʃ] |
| Ispanija | Spain | [speɪn] |
| ispaniškas | Spanish | [ˈspænɪʃ] |
| ispanų kalba | Spanish | [ˈspænɪʃ] |
| įstaiga | office | [ˈɒfɪs] |
| įstatymas | law | [lɔː] |
| istorija | history | [ˈhɪstəri] |
| įstrižai | diagonally | [daɪˈægənli] |
| įstrižainė | diagonal | [daɪˈægənl] |
| iš (*žymi veiksmo kr.*) | out | [aʊt] |
| | from | [frɒm], [frəm] |
| iš karto | at once | [ət ˈwʌns] |
| iš viso (*suma*) | total | [ˈtəʊtl] |
| išblyškęs | pale | [peɪl] |
| išdidus | proud | [praʊd] |
| išdykęs | naughty | [ˈnɔːti] |
| išeiginė diena | day off | [ˌdeɪ ˈɒf] |
| išėjimas | exit | [ˈeksɪt], [ˈegzɪt] |
| išgąsdintas | frightened | [ˈfraɪtnd] |
| išilgai | along | [əˈlɒŋ] |
| išjungti | switch off | [ˌswɪtʃ ˈɒf] |
| | turn off | [ˌtɜːn ˈɒf] |
| iškelti | raise | [reɪz] |
| iškyla | picnic | [ˈpɪknɪk] |
| iškristi | fall out | [ˌfɔːl ˈaʊt] |
| išlįsti | get out of | [ˌget ˈaʊt əv] |
| išmintingas | wise | [waɪz] |
| išnykęs | extinct | [ɪkˈstɪŋkt] |
| išnykti | disappear | [ˌdɪsəˈpɪə] |
| išorėje | out | [aʊt] |
| išradimas | invention | [ɪnˈvenʃn] |

| | | |
|---|---|---|
| išrasti | invent | [ɪn'vent] |
| išreikšti | express | [ɪk'spres] |
| išsekęs | exhausted | [ɪg'zɔːstɪd] |
| išsigandęs | afraid | [ə'freɪd] |
| | scared | [skeəd] |
| išsirikiuoti | line | [laɪn] |
| išsitiesti | stretch | [stretʃ] |
| išsiveržti | erupt | [ɪ'rʌpt] |
| išsiveržimas | eruption | [ɪ'rʌpʃn] |
| išskyrus | excepting | [ɪk'septɪŋ] |
| | except | [ɪk'sept] |
| ištekėti | marry | ['mæri] |
| ištroškęs | thirsty | ['θɜːsti] |
| išvaryti | put out | [ˌpʊt 'aʊt] |
| išvyka | trip | [trɪp] |
| italas | Italian | [ɪ'tæliən] |
| Italija | Italy | ['ɪtəli] |
| itališkas | Italian | [ɪ'tæliən] |
| italų kalba | Italian | [ɪ'tæliən] |
| įtartinas | suspicious | [sə'spɪʃəs] |
| įtarus | suspicious | [sə'spɪʃəs] |
| įvardis | pronoun | ['prəʊnaʊn] |
| įžymus | famous | ['feɪməs] |
| įžūlus | bold | [bəʊld] |

## J j

| | | |
|---|---|---|
| jachta | yacht | [jɒt] |
| jaguaras | jaguar | ['dʒægjʊə] |
| jai | her | [hɜː], [hə] |
| jam | him | [hɪm] |
| japonas | Japanese | [ˌdʒæpə'niːz] |
| Japonija | Japan | [dʒə'pæn] |
| japoniškas | Japanese | [ˌdʒæpə'niːz] |
| japonų kalba | Japanese | [ˌdʒæpə'niːz] |

| | | |
|---|---|---|
| jas | them | [ðem], [ðəm] |
| jaučiai | oxen | [ˈɒksn] |
| jaudinantis | exciting | [ɪkˈsaɪtɪŋ] |
| jaunas | young | [jʌŋ] |
| jaunikl is (*žvėries*) | cub | [kʌb] |
| jaunimo teatras | youth theatre | [ˈjuːθ θɪətə] |
| jausmas (*emocijos*) | feeling | [ˈfiːlɪŋ] |
| (*pojūtis*) | sense | [sens] |
| jausti | feel | [fiːl] |
| jausti (*malonumą*) | enjoy | [ɪnˈdʒɒɪ] |
| ✿ jautė | felt | [felt] |
| jautiena | beef | [biːf] |
| jautis | ox | [ɒks] |
| JAV | USA | [ˌjuːesˈeɪ] |
| jeigu | if | [ɪf] |
| ji pati (*viena*) | herself | [hɜːˈself], [həˈself] |
| ji | she | [ʃiː], [ʃɪ] |
| jie | they | [ðeɪ] |
| jie patys (*vieni*) | themselves | [ðəmˈselvz] |
| jiems | them | [ðem], [ðəm] |
| jis | he | [hiː], [hɪ] |
| jis, ji (*apie gyvūną, daiktą*) | it | [ɪt] |
| jis pats (*vienas*) | himself | [hɪmˈself] |
| jo | his | [hɪz] |
| jo-jo (*žaidimas*) | yo-yo | [ˈjəʊjəʊ] |
| jogurtas | yoghurt | [ˈjɒgət] |
| jojimas | horse-riding | [ˈhɔːsraɪdɪŋ] |
| | riding | [ˈraɪdɪŋ] |
| ✿ jojo | rode | [rəʊd] |
| joms | them | [ðem], [ðəm] |
| jos (*kas*) | they | [ðeɪ] |
| (*kieno*)(*su daiktav.*) | her | [hɜː], [hə] |
| (*kieno*)(*be daiktav.*) | hers | [hɜːz] |
| jo, jos (*apie daiktą, gyvūną*) | its | [ɪts] |

| | | |
|---|---|---|
| jos pačios (*vienos*) | themselves | [ðəm'selvz] |
| joti | ride | [raɪd] |
| jų (*su daiktav.*) | their | [ðeə] |
| (*be daiktav.*) | theirs | [ðeəz] |
| judėti | move | [mu:v] |
| judinti | wiggle | ['wɪgl] |
| jungti | connect | [kə'nekt] |
| | join | [dʒɒɪn] |
| Jungtinės Amerikos Valstijos | United States of America | [ju:ˌnaɪtɪd steɪts əv ə'merɪkə] |
| Jungtinė Karalystė | UK | [ju:ˌnaitid 'kɪŋdəm] |
| juodas | black | [blæk] |
| juokingas | funny | ['fʌni] |
| juoktis | laugh | [lɑ:f] |
| juos | them | [ðem], [ðəm] |
| juosta | tape | [teɪp] |
| | stripe | [straɪp] |
| Jupiteris | Jupiter | ['dʒu:pɪtə] |
| jūra | sea | [si:] |
| jūreivis | sailor | ['seɪlə] |
| jūros arkliukas | seahorse | ['si:hɔ:s] |
| jūros žvaigždė | starfish | ['stɑ:fɪʃ] |
| jūs | you | [ju:], [ju], [jə] |
| jūs patys (*vieni*) | yourselves | [jɔ:'selvz], [jə'selvz] |
| jūsų (*su daiktav.*) | your | [jɔ:], [jə] |
| (*be daiktav.*) | yours | [jɔ:z] |

## K k

| | | |
|---|---|---|
| ✿ kabėjo | hung | [hʌŋ] |
| kabėti | hang | [hæŋ] |
| kačiukas | kitten | ['kɪtn] |
| kad ir kaip būtų | anyway | ['eniweɪ] |

| | | |
|---|---|---|
| kada nors | ever | [ˈevə] |
| kada | when | [wen] |
| kadangi | because | [bɪˈkɒz] |
| kai dėl | as for | [ˈæz fə] |
| kailis | fur | [fɜː] |
| | skin | [skɪn] |
| kaimas | village | [ˈvɪlɪdʒ] |
| kaimynas | neighbour | [ˈneɪbə] |
| kaina | price | [praɪs] |
| ✿ kainavo | cost | [kɒst] |
| kainuoti | cost | [kɒst] |
| kaip | as | [æz], [əz] |
| (*palyginant*) | like | [laɪk] |
| kaip | how | [haʊ] |
| kairė | left | [left] |
| kaitintis saulėje | sunbathe | [ˈsʌnbeɪð] |
| kakava | cocoa | [ˈkəʊkəʊ] |
| kaklaraištis | tie | [taɪ] |
| kaklas | neck | [nek] |
| kakta | forehead | [ˈfɒrɪd] |
| kaladėlė | block | [blɒk] |
| kalafioras | cauliflower | [ˈkɒlɪflaʊə] |
| kalakutas | turkey | [ˈtɜːki] |
| kalba | language | [ˈlæŋgwɪdʒ] |
| ✿ kalbėjo | spoke | [spəʊk] |
| kalbėti | speak | [spiːk] |
| | talk | [tɔːk] |
| Kalėdos | Christmas | [ˈkrɪsməs] |
| *šnek.* | Xmas | [ˈkrɪsməs] |
| Kalėdų eglutė | Christmas tree | [ˈkrɪsməs triː] |
| Kalėdų giesmė | carol | [ˈkærəl] |
| Kalėdų Senelis | Santa Claus | [ˈsæntə klɔːz] |
| | Father Christmas | [ˌfɑːðə ˈkrɪsməs] |
| kalėjimas | prison | [ˈprɪzn] |
| kalendorius | calendar | [ˈkælɪndə] |
| kalinys | prisoner | [ˈprɪznə] |

| | | |
|---|---|---|
| kalnas | mountain | ['maʊntɪn] |
| kalnuotas kraštas | highland | ['haɪlənd] |
| kaltė | fault | [fɔːlt] |
| kalva | hill | [hɪl] |
| kambarinė | housemaid | ['haʊsmeɪd] |
| kambarys | room | [ruːm], [rʊm] |
| kamienas | trunk | [trʌŋk] |
| kaminas | chimney | ['tʃɪmni] |
| kampas | corner | ['kɔːnə] |
| kamuolys | ball | [bɔːl] |
| Kanada | Canada | ['kænədə] |
| kanalas | channel | ['tʃænl] |
| kanarėlė | canary | [kə'neəri] |
| ✿ kando | bit | [bɪt] |
| kanoja | canoe | [kə'nuː] |
| kantrus | patient | ['peɪʃnt] |
| kapitonas | captain | ['kæptɪn] |
| karalienė | queen | [kwiːn] |
| karalystė | kingdom | ['kɪŋdəm] |
| karalius | king | [kɪŋ] |
| kardas | sword | [sɔːd] |
| Kardifas | Cardiff | ['kɑːdɪf] |
| kareivis | soldier | ['səʊldʒə] |
| karieta | coach | [kəʊtʃ] |
| karys | warrior | ['wɒrɪə] |
| karnavalas | carnival | ['kɑːnɪvl] |
| karoliai | necklace | ['neklɪs] |
| karštas | hot | [hɒt] |
| karštis | heat | [hiːt] |
| kartais | sometimes | ['sʌmtaɪmz] |
| | ever | ['evə] |
| kartoti | repeat | [rɪ'piːt] |
| kartu | together | [tə'geðə] |
| kartus | bitter | ['bɪtə] |
| karuselė | merry-go-round | ['merɪgəʊraʊnd] |
| karvė | cow | [kaʊ] |

| | | |
|---|---|---|
| kas (*apie žmogų*) | who | [huː] |
| (*apie daiktą*) | what | [wɒt] |
| Kas atsitiko? | What's the matter? | [ˌwɒts ðə ˈmætə] |
| kas nors (*apie žmogų*) | anybody | [ˈenibədi] |
| (*apie daiktą*) | anything | [ˈeniθɪŋ] |
| (*apie žmogų*) | anyone | [ˈeniwʌn] |
| kasa | checkout | [ˈtʃekaʊt] |
| kasdien | everyday | [ˈevrideɪ] |
| kasdieninis | everyday | [ˈevrideɪ] |
| ✿ kasė | dug | [dʌg] |
| kasetė | cassete | [kəˈset] |
| kasyti | scratch | [skrætʃ] |
| kasmetinis | annual | [ˈænjʊəl] |
| kaspinas | ribbon | [ˈrɪbən] |
| kasti | dig | [dɪg] |
| kąsti | bite | [baɪt] |
| kastuvas | spade | [speɪd] |
| kaštonas | horse-chestnut | [ˌhɔːsˈtʃesnʌt] |
| katė | cat | [kæt] |
| katedra | cathedral | [kəˈθiːdrəl] |
| katytė | pussy | [ˈpʊsi] |
| kaubojus | cowboy | [ˈkaʊbɒɪ] |
| kaučiukmedis | rubber-tree | [ˈrʌbətriː] |
| kaukė | mask | [mɑːsk] |
| kaulas | bone | [bəʊn] |
| kauliukas (*lošimo*) | dice | [daɪs] |
| kava | coffee | [ˈkɒfi] |
| kavinė | cafe | [ˈkæfeɪ] |
| kavos stalelis | coffee-table | [ˈkɒfiteɪbl] |
| kažkas (*apie žmogų*) | somebody | [ˈsʌmbədi] |
| (*apie daiktą*) | something | [ˈsʌmθɪŋ] |
| (*apie žmogų*) | someone | [ˈsʌmwʌn] |
| kažkur (*kur nors*) | somewhere | [ˈsʌmweə] |
| kėdė | chair | [tʃeə] |
| keiktis | curse | [kɜːs] |

| | | |
|---|---|---|
| keistas | strange | [streɪndʒ] |
| keisti | change | [tʃeɪndʒ] |
| keleivinis garlaivis ar lėktuvas | liner | ['laɪnə] |
| keleivis | passenger | ['pæsɪndʒə] |
| keletas (*teig. sak.*) | some | [sʌm] |
| keliamieji metai | leap-year | ['li:pjɪə] |
| kelias (*plentas*) | road | [rəʊd] |
| (*būdas*) | way | [weɪ] |
| keliauti | travel | ['trævl] |
| keliautojas | traveller | ['trævələ] |
| kelionė | journey | ['dʒɜ:ni] |
| kelis | knee | [ni:] |
| kelnės | trousers | ['traʊzəz] |
| *amer.* | pants | [pænts] |
| keltis | get up | [ˌget 'ʌp] |
| kempinė | sponge | [spʌndʒ] |
| kengūra | kangaroo | [ˌkæŋgə'ru:] |
| kepalai | loaves | [ləʊvz] |
| kepalas | loaf | [ləʊf] |
| kepėjas | baker | ['beɪkə] |
| kepykla | bakery | ['beɪkəri] |
| kepta mėsa ant grotelių | barbecue | ['bɑ:bɪkju:] |
| kepti (*duoną*) | bake | [beɪk] |
| (*riebaluose*) | fry | [fraɪ] |
| (*ant iešmo*) | grill | [grɪl] |
| keptuvė | pan | [pæn] |
| kepurė | cap | [kæp] |
| ketinti | going to | ['gəʊɪŋ tə] |
| keturi | four | [fɔ:] |
| keturiasdešimt | forty | ['fɔ:ti] |
| keturiasdešimtas | fortieth | ['fɔ:tɪəθ] |
| keturiolika | fourteen | [ˌfɔ:'ti:n] |
| keturioliktas | fourteenth | [ˌfɔ:'ti:nθ] |
| ketvirtadienis | Thursday | ['θɜ:zdeɪ], ['θɜ:zdi] |

A a Ą ą B b C c Č č D d E e Ė ė F f G g H h I i Į į Y y J j **K k** L l M m N n O o P p R r S s Š š T t U u Ū ū V v Z z Ž ž

| | | |
|---|---|---|
| ketvirtas | fourth | [fɔːθ] |
| ketvirtis | quarter | ['kwɔːtə] |
| kiaulė | pig | [pɪg] |
| kiaušinis | egg | [eg] |
| kiautas | shell | [ʃel] |
| kibiras | bucket | ['bʌkɪt] |
| kiek (*skaič. daikt.*) | how many | [ˌhaʊ 'meni] |
| (*su neskaič. daikt.*) | how much | [ˌhaʊ 'mʌtʃ] |
| kiek metų | how old | [ˌhaʊ 'əʊld] |
| kiekvienas (*pabrėžia individualumą*) | each | [iːtʃ] |
| (*bendrumas su visais*) | every | ['evri] |
| (*apie žmogų*) | everybody | ['evribədi] |
| kiemas | yard | [jɑːd] |
| kieno | whose | [huːz] |
| kilęs | originated | [ɒ'rɪdʒɪneɪtɪd] |
| kilimas | carpet | ['kɑːpɪt] |
| (*nedidelis*) | rug | [rʌg] |
| kilimėlis (*prie durų*) | doormat | ['dɔːmæt] |
| | mat | [mæt] |
| ✿ kilo | rose | [rəʊz] |
| kilogramas | kilogram | ['kɪləgræm] |
| *šnek.* | kilo | ['kiːləʊ] |
| kilometras | kilometre | ['kɪləmiːtə] |
| kilti | rise | [raɪz] |
| Kinija | China | ['tʃaɪnə] |
| kino teatras | cinema | ['sɪnəmə] |
| kirmėlė | worm | [wɜːm] |
| kirpėjas (*moterų*) | hairdresser | ['heədresə] |
| (*vyrų*) | barber | ['bɑːbə] |
| kirpykla (*vyrų*) | barber's | ['bɑːbəz] |
| (*moterų*) | hairdresser's | ['heədresəz] |
| kirvis | axe | [æks] |
| kišenė | pocket | ['pɒkɪt] |
| kišeninis peilis | penknife | ['pennaɪf] |
| kišenpinigiai | pocket-money | ['pɒkɪtmʌni] |

| | | |
|---|---|---|
| kiškis | hare | [heə] |
| kitas (*dar vienas)* | another | [ə'nʌðə] |
| (*ateinantis)* | next | [nekst] |
| (*anas*) | other | ['ʌðə] |
| klaida (*skaičiavimo*) | fault | [fɔ:lt] |
| | mistake | [mɪ'steɪk] |
| klaidingas | false | [fɔ:ls] |
| klajoti | wander | ['wɒndə] |
| klasė (*patalpa*) | classroom | ['klɑ:srum] |
| (*mokyklos*) | class | [klɑ:s] |
| "klasės" (*žaidimas*) | hopscotch | ['hɒpskɒtʃ] |
| klasės lenta | blackboard | ['blækbɔ:d] |
| klasės darbas | classwork | ['klɑ:swɜ:k] |
| klasiokas | classmate | ['klɑ:smeɪt] |
| klausimas | question | ['kwestʃən] |
| klausyti | listen | ['lɪsn] |
| klausti | ask | [ɑ:sk] |
| klaviatūra | keyboard | ['ki:bɔ:d] |
| klevas | maple | ['meɪpl] |
| klijai | glue | [glu:] |
| klijuoti | stick | [stɪk] |
| klounas | clown | [klaʊn] |
| klubas (*kūno dalis*) | hip | [hɪp] |
| | club | [klʌb] |
| ✿ klūpojo | knelt | [nelt] |
| klūpoti | kneel | [ni:l] |
| knarkimas | snore | [snɔ:] |
| knyga | book | [bʊk] |
| knygynas | bookshop | ['bʊkʃɒp] |
| knygų lentyna | bookshelf | ['bʊkʃelf] |
| knygų spinta | bookcase | ['bʊkkeɪs] |
| kobra | cobra | ['kəʊbrə] |
| kodas | code | [kəʊd] |
| kodėl | why | [waɪ] |
| koja (*iki pėdos*) | leg | [leg] |
| kojinė | stocking | ['stɒkɪŋ] |

| | | |
|---|---|---|
| kojos pirštas | toe | [təʊ] |
| kokakola | coca-cola | [ˌkəukə'kəulə] |
| *šnek.* | coke | [kəʊk] |
| kokoso riešutas | coconut | ['kəʊkənʌt] |
| koks | what | [wɒt] |
| kol | while | [waɪl] |
| koledžas | college | ['kɒlɪdʒ] |
| kolekcija (*rinkinys*) | collection | [kə'lekʃn] |
| kolibris | humming-bird | ['hʌmɪŋbɜːd] |
| komanda | team | [tiːm] |
| kombinezonas | overalls | ['əʊvərɔːlz] |
| komedija | comedy | ['kɒmədi] |
| komiksai | comics | ['kɒmɪks] |
| kompaktinis diskas | CD | [ˌsiː'diː] |
| kompanija | company | ['kʌmpəni] |
| kompasas | compass | ['kʌmpəs] |
| kompiuterinis žaidimas | computer game | [kəm'pjuːtə ˌgeɪm] |
| kompiuteris | computer | [kəm'pjuːtə] |
| koncertas | concert | ['kɒnsət] |
| konferencija | conference | ['kɒnfərəns] |
| konkursas | contest | ['kɒntəst] |
| konsultuoti | consult | [kən'sʌlt] |
| kontrolė | control | [kən'trəʊl] |
| kontrolinis darbas | test | [test] |
| kopa | dune | [djuːn] |
| kopėčios | ladder | ['lædə] |
| kopija | copy | ['kɒpi] |
| kopijuoti | copy | ['kɒpi] |
| komplektas | set | [set] |
| kopti | mount | [maʊnt] |
| kopūstas | cabbage | ['kæbɪdʒ] |
| koralas | coral | ['kɒrəl] |
| koridorius | corridor | ['kɒrɪdɔː] |
| korta | card | [kɑːd] |
| kosėti | have a cough | [ˌhæv ə 'kɒf] |

| | | |
|---|---|---|
| kostiumas | suit | [suːt] |
| kotas (*augalo*) | stalk | [stɔːk] |
| kova | fight | [faɪt] |
| kovas (*mėnuo*) | March | [mɑːtʃ] |
| ✿ kovojo | fought | [fɔːt] |
| kovoti | fight | [faɪt] |
| krabas | crab | [kræb] |
| kramtyti | chew | [tʃuː] |
| kramtomoji guma | chewing-gum | [ˈtʃuːɪŋgʌm] |
| krantas | shore | [ʃɔː] |
| kraštas | edge | [edʒ] |
| ✿ kratė | shook | [ʃʊk] |
| kratyti | shake | [ʃeɪk] |
| kraujas | blood | [blʌd] |
| krauti | load | [ləʊd] |
| krautuvininkas | shopkeeper | [ˈʃɒpkiːpə] |
| kreida | chalk | [tʃɔːk] |
| krekeris | cracker | [ˈkrækə] |
| kremas | cream | [kriːm] |
| krepšinis | basketball | [ˈbɑːskɪtbɔːl] |
| krepšys | bag | [bæg] |
| | basket | [ˈbɑːskɪt] |
| kriauklė (*moliuskų*) | shell | [ʃel] |
| kriaušė | pear | [peə] |
| kriketas | cricket | [ˈkrɪkɪt] |
| krikštyti | christen | [ˈkrɪsn] |
| krioklys | waterfall | [ˈwɔːtəfɔːl] |
| kryptis | direction | [dɪˈrekʃn] |
| kristalas | crystal | [ˈkrɪstl] |
| kristi | fall | [fɔːl] |
| ✿ krito | fell | [fel] |
| kryžiažodis | crossword | [ˈkrɒswɜːd] |
| kryžius | cross | [krɒs] |
| krokodilas | crocodile | [ˈkrɒkədaɪl] |
| krovinys | load | [ləʊd] |
| krūmas | bush | [bʊʃ] |

A a Ą ą B b C c Č č D d E e Ę ę Ė ė F f G g H h I i Į į Y y J j **K k** L l M m N n O o P p R r S s Š š T t U u Ų ų Ū ū V v Z z Ž ž

A a Ą ą B b C c Č č D d E e Ė ė F f G g H h I i Į į Y y J j **K k** L l M m N n O o P p R r S s Š š T t U u Ū ū V v Z z Ž ž

| | | |
|---|---|---|
| krumplys | knuckle | [ˈnʌkl] |
| krūtinė | chest | [tʃest] |
| krūva | heap | [hiːp] |
| kubas | cube | [kjuːb] |
| kūdikis | baby | [ˈbeɪbi] |
| kūgis | cone | [kəʊn] |
| kukurūzų dribsniai | cornflakes | [ˈkɔːnfleɪks] |
| kukurūzų spragėsiai | popcorn | [ˈpɒpkɔːn] |
| kulka | bullet | [ˈbʊlɪt] |
| kulkšnis | ankle | [ˈæŋkl] |
| kulnas | heel | [hiːl] |
| kumeliukas (*iki metų*) | foal | [fəʊl] |
| (*iki 4 metų*) | colt | [kəʊlt] |
| kumpis | ham | [hæm] |
| kumščiuotis | punch | [pʌntʃ] |
| kumštinė pirštinė | mitten | [ˈmɪtn] |
| kūnas | body | [ˈbɒdi] |
| kūno kultūra | physical education | [ˌfɪzɪkl ˌedʒʊˈkeɪʃn] |
| kupra | hump | [hʌmp] |
| kupranugaris | camel | [ˈkæməl] |
| kuprinė (*turisto*) | rucksack | [ˈrʌksæk] |
| (*mokyklos*) | schoolbag | [ˈskuːlbæg] |
| kur | where | [weə] |
| kur tik | wherever | [wɛərˈevə] |
| kurapka | quail | [kweɪl] |
| kuri(s) | which | [wɪtʃ] |
| kurmis | mole | [məʊl] |
| kursas | course | [kɔːs] |
| kutenti | tickle | [ˈtɪkl] |
| kvadratas | square | [skweə] |
| kvailas (*neprotingas*) | foolish | [ˈfuːlɪʃ] |
| (*paikas*) | silly | [ˈsɪli] |
| (*neišmanėlis*) | stupid | [ˈstjuːpɪd] |
| kvailys | fool | [fuːl] |
| kvepėti | smell | [smel] |
| kviesti | call | [kɔːl] |

| | | |
|---|---|---|
| laba diena | good afternoon | [ˌgʊd ɑːftəˈnuːn] |
| labai | very | [ˈveri] |
| labai gerai | very well | [ˈveri wel] |
| labanaktis | goodnight | [gʊdˈnaɪt] |
| laboratorija | laboratory | [ləˈbɒrətri] |
| Labas! | Hello! | [həˈləʊ] |
| *amer.* | Hi! | [haɪ] |
| labas rytas | good morning | [ˌgʊd ˈmɔːnɪŋ] |
| labas vakaras | good evening | [ˌgʊd ˈiːvnɪŋ] |
| labdara | charity | [ˈtʃærəti] |
| lagaminas | suitcase | [ˈsjuːtkeɪs] |
| laidoti | bury | [ˈberi] |
| laikas | time | [taɪm] |
| ✿ laikė (*sugriebė*) | held | [held] |
| (*turėjo*) | kept | [kept] |
| laikyti (*sugriebti*) | hold | [həʊld] |
| (*turėti*) | keep | [kiːp] |
| laikraščių kioskas | newsstand | [ˈnjuːzstænd] |
| laikraštis | newspaper | [ˈnjuːspeɪpə] |
| laikrodis | clock | [klɒk] |
| laiku | in time | [ɪn ˈtaɪm] |
| laimė | luck | [lʌk] |
| ✿ laimėjo | won | [wʌn] |
| laimėti | win | [wɪn] |
| laimingas (*linksmas*) | happy | [ˈhæpi] |
| (*dėl sėkmės*) | lucky | [ˈlʌki] |
| laiminti | bless | [bles] |
| laiptai | stairs | [steəz] |
| laisvalaikio pomėgis | hobby | [ˈhɒbi] |
| laisvas | free | [friː] |
| laiškanešys | postman | [ˈpəʊstmən] |
| laiškas | letter | [ˈletə] |
| laivas | ship | [ʃɪp] |
| laižyti | lick | [lɪk] |

A a Ą ą B b C c Č č D d E e Ė ė F f G g H h I i Į į Y y J j K k **L l** M m N n O o P p R r S s Š š T t U u Ū ū V v Z z Ž ž

| | | |
|---|---|---|
| lakas | polish | [ˈpɒlɪʃ] |
| lakštingala | nightingale | [ˈnaɪtɪŋgeɪl] |
| lakuoti | polish | [ˈpɒlɪʃ] |
| lama | llama | [ˈlɑːmə] |
| langas | window | [ˈwɪndəʊ] |
| languotas (*apie audinį*) | checked | [tʃekt] |
| lankas | bow | [bəʊ] |
| lankyti | visit | [ˈvɪzɪt] |
| lankstyti | fold | [fəʊld] |
| lankstus | elastic | [ɪˈlæstɪk] |
| lapai | leaves | [liːvz] |
| lapas | leaf | [liːf] |
| lapė | fox | [fɒks] |
| lapkritis | November | [nəʊˈvembə] |
| lašas | drop | [drɒp] |
| lašiniai | bacon | [ˈbeɪkən] |
| Latvija | Latvia | [ˈlætvɪə] |
| latvis | Latvian | [ˈlætvɪən] |
| latviškas | Latvian | [ˈlætvɪən] |
| latvių kalba | Latvian | [ˈlætvɪən] |
| laukas | field | [fiːld] |
| lauke | out-of-doors | [ˌaʊtəvˈdɔːz] |
| (*išorinė pusė*) | outside | [ˌaʊtˈsaɪd] |
| laukti | wait | [weɪt] |
| laužas | bonfire | [ˈbɒnfaɪə] |
| ✿ laužė | broke | [brəʊk] |
| laužyti | break | [breɪk] |
| lava | lava | [ˈlɑːvə] |
| lazda | stick | [stɪk] |
| (*beisbolo*) | bat | [bæt] |
| lazdynas | hazel | [ˈheɪzl] |
| ledai (*valgomieji*) | ice-cream | [ˈaɪskriːm] |
| ledas | ice | [aɪs] |
| ledi | lady | [ˈleɪdi] |
| ledinukas *amer.* | candy | [ˈkændi] |

| | | |
|---|---|---|
| ledo ritulys | ice-hockey | ['aɪshɒki] |
| | hockey | ['hɒki] |
| lego (*žaidimas*) | lego | ['legəʊ] |
| ✿ leido (*sutiko*) | let | [let] |
| (*eikvojo*) | spent | [spent] |
| leisti (*sudaryti sąlygas*) | allow | [ə'laʊ] |
| (*sutikti*) | let | [let] |
| (*eikvoti*) | spend | [spend] |
| leistis rogutėmis | toboggan | [tə'bɒgən] |
| lėkštelė | saucer | ['sɔːsə] |
| lėkštė | plate | [pleɪt] |
| lėktuvas | aeroplane | ['eərəpleɪn] |
| | plane | [pleɪn] |
| lėlė | doll | [dɒl] |
| (*apie teatrą*) | puppet | ['pʌpɪt] |
| lelija | lily | ['lɪli] |
| lėlių teatras | puppet theatre | ['pʌpɪt θɪətə] |
| lempa | lamp | [læmp] |
| lengvas | easy | ['iːzi] |
| lenkas | Pole | [pəʊl] |
| ✿ lenkė | bent | [bent] |
| Lenkija | Poland | ['pəʊlənd] |
| lenkti | bend | [bend] |
| lenktyniauti | race | [reɪs] |
| lenktyniavimas | racing | ['reɪsɪŋ] |
| lenta | board | [bɔːd] |
| lentelė | chart | [tʃɑːt] |
| lentyna | shelf | [ʃelf] |
| lentynos | shelves | [ʃelvz] |
| leopardas | leopard | ['lepəd] |
| lėtai | slowly | ['sləʊli] |
| lėtas | slow | [sləʊ] |
| letena | paw | [pɔː] |
| liaunas (*lieknas*) | slim | [slɪm] |
| lydeka | pike | [paɪk] |
| liemenė *amer.* | vest | [vest] |

| | | |
|---|---|---|
| liemuo | waist | [weɪst] |
| liepa | lime-tree | ['laɪmtriː] |
| (*mėnuo*) | July | [dʒuː'lai] |
| liepsna | flame | [fleɪm] |
| liesas | lean | [liːn] |
| (*plonas*) | thin | [θɪn] |
| liesti | touch | [tʌtʃ] |
| lietaus lašelis | raindrop | ['reɪndrɒp] |
| lietingas | rainy | ['reɪni] |
| lietpaltis | raincoat | ['reɪnkəʊt] |
| lietsargis | umbrella | [ʌm'brelə] |
| lietus | rain | [reɪn] |
| Lietuva | Lithuania | [ˌlɪθjuː'eɪnɪə] |
| lietuvis | Lithuanian | [ˌlɪθjuː'eɪnɪən] |
| lietuviškas | Lithuanian | [ˌlɪθjuː'eɪnɪən] |
| lietuvių kalba | Lithuanian | [ˌlɪθjuː'eɪnɪən] |
| liežuvis | tongue | [tʌŋ] |
| liftas | lift | [lɪft] |
| lygiavertis | equivalent | [ɪk'wɪvələnt] |
| ligoninė | hospital | ['hɒspɪtl] |
| lygus (*vienodos dalys*) | egual | ['iːkwl] |
| (*glotnus*) | smooth | [smuːð] |
| likusieji | all the rest | [ˌɔːl ðə 'rest] |
| limonadas | lemonade | [ˌlemə'neɪd] |
| linija | line | [laɪn] |
| liniuotė | ruler | ['ruːlə] |
| link | towards | [tə'wɔːdz] |
| linksmai | gaily | ['geɪli] |
| | merrily | ['merɪli] |
| linksmas (*malonus*) | cheerful | ['tʃɪəfəl] |
| (*nerūpestingas*) | gay | [geɪ] |
| (*džiugus*) | merry | ['meri] |
| linktelėti | nod | [nɒd] |
| liokajus | butler | ['bʌtlə] |
| lipdukas | sticker | ['stɪkə] |
| lipni juosta | sticky tape | [ˌstɪki 'teɪp] |

| | | |
|---|---|---|
| lipnus | sticky | [ˈstɪki] |
| lipti | climb | [klaɪm] |
| litas | litas | [ˈlɪtəs] |
| literatūra | literature | [ˈlɪtrətʃə] |
| literatūrinis | literary | [ˈlɪtərəri] |
| lyti | rain | [reɪn] |
| litras | litre | [ˈliːtə] |
| liūdnas | sad | [sæd] |
| liūtas | lion | [ˈlaɪən] |
| lizdas | nest | [nest] |
| lobis | treasure | [ˈtreʒə] |
| Londonas | London | [ˈlʌndn] |
| lopyti | mend | [mend] |
| lopšys | cradle | [ˈkreɪdl] |
| loterija | lottery | [ˈlɒtəri] |
| loti | bark | [bɑːk] |
| lotynų kalba | Latin | [ˈlætɪn] |
| lova | bed | [bed] |
| lubos | ceiling | [ˈsiːlɪŋ] |
| lūpa | lip | [lɪp] |
| lupti | peel | [piːl] |
| lūšis | ounce | [aʊns] |

## M m

| | | |
|---|---|---|
| magnetofonas | tape-recorder | [ˈteɪprɪkɔːdə] |
| (*ausinukas*) | walkman | [ˈwɔːkmən] |
| maistas | food | [fuːd] |
| maišas | sack | [sæk] |
| maišyti | mix | [mɪks] |
| | stir | [stɜː] |
| ✿ maitino | fed | [fed] |
| maitinti | feed | [fiːd] |
| makaronai | noodles | [ˈnuːdlz] |
| maldauti | beg | [beg] |

A a Ą ą B b C c Č č D d E e Ė ė F f G g H h I i Į į Y y J j K k L l **M m** N n O o P p R r S s Š š T t U u Ū ū V v Z z Ž ž

| | | |
|---|---|---|
| malimo mašina | grinder | ['graındə] |
| Malonu susipažinti! | How do you do! | [ˌhaʊ də jʊ 'du:] |
| malonumas | fun | [fʌn] |
| malonus (*meilus*) | kind | [kaınd] |
| (*geras*) | nice | [naıs] |
| (*smagus*) | pleasant | ['pleznt] |
| malūnsparnis | helicopter | ['helıkɒptə] |
| mama *šnek.* | mum | [mʌm] |
| mamytė | mummy | ['mʌmi] |
| man | me | [mi:], [mı] |
| mandagiai | politely | [pə'laıtli] |
| mandagus | polite | [pə'laıt] |
| mane | me | [mi:], [mı] |
| manija | craze | [kreız] |
| mano (*su daiktv.*) | my | [maı] |
| (*be daiktv.*) | mine | [maın] |
| maratonas | marathon | ['mærəθən] |
| margutis | Easter egg | ['i:stər eg] |
| Marsas | Mars | [mɑ:z] |
| marškinėliai (*teniso*) | T-shirt | ['ti:ʃɜ:t] |
| marškiniai | shirt | [ʃɜ:t] |
| maršrutas | route | [ru:t] |
| mašina | machine | [mə'ʃi:n] |
| matematika | mathematics | [ˌmæθə'mætıks] |
| *šnek.* | maths | [mæθs] |
| ✿ matė | saw | [sɔ:] |
| matyti | see | [si:] |
| matuoti | measure | ['meʒə] |
| (*temperatūrą*) | take temperature | [ˌteık 'temprətʃə] |
| maudymosi kostiumas | bathing-suit | ['beıðıŋsu:t] |
| *(moteriškas)* | swimsuit | ['swımsu:t] |
| maudytis vonioje | have a bath | [ˌhæv ə 'bɑ:θ] |
| mažai | few | [fju:] |
| mažas | little | ['lıtl] |
| | small | [smɔ:l] |
| mažesnis | less | [less] |

| | | |
|---|---|---|
| mažiau | less | [less] |
| mažiausias | least | [li:st] |
| mažmožis | trifle | ['traɪfl] |
| medalis | medal | ['medl] |
| mediena | wood | [wʊd] |
| medis | tree | [tri:] |
| medus | honey | ['hʌni] |
| medūza | jellyfish | ['dʒelifɪʃ] |
| medvilnė | cotton | ['kɒtn] |
| medvilninis sportinis nertinis | sweatshirt | ['swetʃ3:t] |
| medžiaga | cloth | [klɒθ] |
| medžioti | hunt | [hʌnt] |
| medžiotojas | hunter | ['hʌntə] |
| mėgstamas | favourite | ['feɪvərɪt] |
| mėgstąs, mylįs | fond | [fɒnd] |
| megztinis (*susegamas*) | cardigan | ['kɑ:dɪgən] |
| (*velkamas per galvą*) | pullover | ['pʊləʊvə] |
| (*džemperis*) | jumper | ['dʒʌmpə] |
| (*nertinis*) | sweater | ['swetə] |
| mėgti (*patikti*) | like | [laɪk] |
| meilė | love | [lʌv] |
| meilės laiškelis | valentine | ['væləntaɪn] |
| Meksika | Mexico | ['meksɪkəʊ] |
| meksikietis | Mexican | ['meksɪkən] |
| meksikietiškas | Mexican | ['meksɪkən] |
| melas | lie | [laɪ] |
| mėlynas | blue | [blu:] |
| mėlynė *(uoga)* | blueberry | ['blu:beri] |
| melionas | melon | ['melən] |
| melodija | tune | [tju:n] |
| melodingas | musical | ['mju:zɪkl] |
| melstis | pray | [prei] |
| menas | art | [ɑ:t] |
| menininkas | artist | ['ɑ:tɪst] |
| menkė | cod | [kɒd] |

| | | |
|---|---|---|
| mėnulis | moon | [mu:n] |
| mėnuo | month | [mʌnθ] |
| mergaitė | girl | [gɜ:l] |
| Merkurijus | Mercury | ['mɜ:kjʊri] |
| mes | we | [wi:] |
| mėsa | meat | [mi:t] |
| mėsainis | hamburger | ['hæmbɜ:gə] |
| mėsinė | butcher's | ['bʊtʃəz] |
| mėsininkas | butcher | ['bʊtʃə] |
| mesti | throw | [θrəʊ] |
| (*lapus*) | shed | [ʃed] |
| | cast | [kɑ:st] |
| meška | bear | [beə] |
| metai | year | [jɪə] |
| metalofonas | xylophone | ['zaɪləfəʊn] |
| metalas | metal | ['metl] |
| ✿ metė | threw | [θru:] |
| (*lapus*) | shed | [ʃed] |
| | cast | [kɑ:st] |
| metras | metre | ['mi:tə] |
| metropolitenas | underground | ['ʌndəgraʊnd] |
| metų laikas | season | ['si:zn] |
| miegamasis | bedroom | ['bedrʊm] |
| miegantis | asleep | [ə'sli:p] |
| miegmaišis | sleeping-bag | ['sli:pɪŋbæg] |
| ✿ miegojo | slept | [slept] |
| miegoti | sleep | [sli:p] |
| mieguistas | sleepy | ['sli:pi] |
| mielas | lovely | ['lʌvli] |
| miestas (*didmiestis*) | city | ['sɪti] |
| (*mažas*) | town | [taʊn] |
| mikrobangų krosnelė | microwave oven | [ˌmaɪkrəweɪv 'ʌvn] |
| mikrobas | germ | [dʒɜ:m] |
| mikrofonas | microphone | ['maɪkrəfəʊn] |
| *šnek.* | mike | [maɪk] |

| | | |
|---|---|---|
| mylėti | love | [lʌv] |
| mylia | mile | [maɪl] |
| milijardas | billion | [ˈbɪljən] |
| milijonas | million | [ˈmɪljən] |
| milijonierius | millionaire | [ˌmɪljəˈneə] |
| miltai | flour | [ˈflaʊə] |
| milžinas | giant | [ˈdʒaɪənt] |
| milžiniškas | enormous | [ɪˈnɔːməs] |
| (*gigantiškas*) | gigantic | [dʒaɪˈgæntɪk] |
| mini sijonas | miniskirt | [ˈmɪniskɜːt] |
| minia | crowd | [kraʊd] |
| minkštas žaislas | soft toy | [ˌsɒft ˈtɒɪ] |
| minkštas | soft | [sɒft] |
| mintis | idea | [aɪˈdɪə] |
| minusas | minus | [ˈmaɪnəs] |
| minutė | minute | [ˈmɪnɪt] |
| miręs | dead | [ded] |
| mirksėti | wink | [wɪŋk] |
| mirti | die | [daɪ] |
| mįslė | riddle | [ˈrɪdl] |
| miškas | forest | [ˈfɒrɪst] |
| | wood | [wʊd] |
| mobilus telefonas | mobile phone | [ˌməʊbaɪl ˈfəʊn] |
| močiutė | grandmother | [ˈgrænmʌðə] |
| *šnek.* | granny | [ˈgræni] |
| modelis | model | [ˈmɒdl] |
| modernus | modern | [ˈmɒdn] |
| ✿ mokė | taught | [tɔːt] |
| ✿ mokėjo | paid | [peɪd] |
| ✿ mokėsi | learnt | [lɜːnt] |
| mokėti | pay | [peɪ] |
| mokykla | school | [skuːl] |
| mokykliniai reikmenys | school set | [ˈskuːl set] |
| mokinė | schoolgirl | [ˈskuːlgɜːl] |
| mokiniai | schoolchildren | [ˈskuːltʃɪldrən] |

A a Ą ą B b C c Č č D d E e Ė ė F f G g H h I i Į į Y y J j K k L l **M m** N n O o P p R r S s Š š T t U u Ū ū V v Z z Ž ž

| | | |
|---|---|---|
| mokinys | schoolboy | ['sku:lbɒɪ] |
| mokinys (-ė) | pupil | ['pju:pl] |
| | student | ['stju:dnt] |
| mokyti | teach | [ti:tʃ] |
| mokytis | learn | [lɜ:n] |
| | study | ['stʌdi] |
| mokytojas | teacher | ['ti:tʃə] |
| mokytojų kambarys | staff room | ['stɑ:f rʊm] |
| mokomasis dalykas | subject | ['sʌbʒɪkt] |
| mokslas | science | ['saɪəns] |
| (*studijos*) | studies | ['stʌdɪz] |
| mokslininkas | scientist | ['saɪəntɪst] |
| molbertas | easel | ['i:zl] |
| moliūgas | pumpkin | ['pʌmpkɪn] |
| moneta | coin | [kɒɪn] |
| morka | carrot | ['kærət] |
| moteris (*lytis*) | female | ['fi:meɪl] |
| | woman | ['wʊmən] |
| moterys | women | ['wɪmɪn] |
| motociklas | motorbike | ['məʊtəbaɪk] |
| motina | mother | ['mʌðə] |
| mugė | funfair | ['fʌnfeə] |
| muilas | soap | [səʊp] |
| muitinė | customs | ['kʌstəmz] |
| mums | us | [ʌs], [əs] |
| murkti | purr | [pɜ:] |
| mus | us | [ʌs], [əs] |
| musė | fly | [flaɪ] |
| mūsų (*su daiktav.*) | our | ['aʊə] |
| (*be daiktav.*) | ours | ['aʊəz] |
| mūšis | battle | ['bætl] |
| muziejus | museum | [mju:'zɪəm] |
| muzika | music | ['mju:zɪk] |
| muzikinis teatras | musical theatre | ['mju:zɪkl θɪətə] |
| muzikos pamoka | music | ['mju:zɪk] |

# N n

| | | |
|---|---|---|
| nagas (*žmogaus*) | fingernail | [ˈfɪŋgəneɪl] |
| (*gyvūno*) | claw | [klɔː] |
| nafta | oil | [ɒɪl] |
| Nagi! | Come on! | [ˌkʌm ˈɒn] |
| naktį | at night | [ət ˈnaɪt] |
| naktis | night | [naɪt] |
| namai | home | [həʊm] |
| namas | house | [haʊs] |
| naminis | domestic | [d ɒˈmestɪk] |
| namų darbai | homework | [ˈhəʊmwɜːk] |
| namų šeimininkė | housewife | [ˈhaʊswaɪf] |
| (*ūkvedė*) | housekeeper | [ˈhaʊskiːpə] |
| narcizas *bot.* | daffodil | [ˈdæfədɪl] |
| narys | member | [ˈmembə] |
| narsa | valour | [ˈvælə] |
| narvas | cage | [keɪdʒ] |
| našlaitė *bot.* | pansy | [ˈpænzi] |
| naudingas | useful | [ˈjuːsfəl] |
| | helpful | [ˈhelpfəl] |
| naudoti | use | [juːz] |
| naujas | new | [njuː] |
| Nauji metai | New Year | [ˌnjuː ˈjɪe] |
| naujienos | news | [njuːz] |
| ne (*neig. liep.*) | don't | [dəʊnt] |
| | no | [nəʊ] |
| (*neig. prie veiksm.*) | not | [nɒt] |
| neatidus kitiems | inconsidirate | [ˌɪnkənˈsɪdərət] |
| nebylys | mute | [mjuːt] |
| nebylus | dumb | [dʌm] |
| ✿ nebuvau | wasn't | [ˈwɒznt] |
| ✿ nebuvo (jis, ji) | wasn't | [ˈwɒznt] |
| ✿ nebuvo | weren't | [wɜːnt], [weənt] |
| ✿ nebuvome | weren't | [wɜːnt], [weənt] |
| ✿ nebuvote | weren't | [wɜːnt], [weənt] |
| nedaugelis | few | [fjuː] |

A a Ą ą B b C c Č č D d E e Ė ė F f G g H h I i Į į Y y J j K k L l M m **N n** O o P p R r S s Š š T t U u Ū ū V v Z z Ž ž

| | | |
|---|---|---|
| ✿ negalėjo | couldn't | [ˈkʊdnt] |
| negalėjo būti | couldn't be | [ˈkʊdnt bɪ] |
| negali *šnek.* | can't | [kɑːnt] |
| | cannot | [ˈkænnɒt] |
| negali būti | can't be | [ˈkɑːnt bɪ] |
| negalima (*draudimas*) | mustn't | [ˈmʌsnt] |
| | must not | [ˌmʌst ˈnɒt] |
| negu | than | [ðən] |
| neįprastas | unusual | [ʌnˈjuːʒʊəl] |
| nekęsti | hate | [heɪt] |
| Nekvailiok! | Don't be silly! | [ˌdəʊnt biː ˈsɪli] |
| nelaimingas | unhappy | [ʌnˈhæpi] |
| (*pasigailėtinas*) | miserable | [ˈmɪzərəbl] |
| nendrė | reed | [riːd] |
| nėra (*jų*) | aren't | [ɑːnt] |
| (*jo, jos*) | isn't | [ˈɪznt] |
| nereikia (*neprivaloma*) | needn't | [ˈniːdnt] |
| nerimas | worry | [ˈwʌri] |
| nerti (*vandenyje*) | dive | [daɪv] |
| nerūpestingas | careless | [ˈkeələs] |
| nes | because | [bɪˈkɒz] |
| nesame | aren't | [ɑːnt] |
| nesantis | absent | [ˈæbsənt] |
| nesate | aren't | [ɑːnt] |
| neseniai | lately | [ˈleɪtli] |
| nesi | aren't | [ɑːnt] |
| Nesijaudink! | Don't worry! | [ˌdəʊnt ˈwʌri] |
| nesveikas | unhealthy | [ʌnˈhelθi] |
| nešti | carry | [ˈkæri] |
| net | even | [ˈiːvn] |
| neteisingas | wrong | [rɒŋ] |
| netikras | false | [fɔːls] |
| neturi (*jie, jos*) | haven't | [ˈhævnt] |
| (*jis, ji*) | hasn't | [ˈhæznt] |
| netvarka | mess | [mes] |
| neužmirštuolė *bot.* | forget-me-not | [fəˈgetmɪnɒt] |

| | | |
|---|---|---|
| nežymimasis artikelis | a, an | [eɪ], [ə], [ən] |
| nė vienas (*iš dviejų*) | neither | ['naɪðə] |
| (*niekas*) | none | [nʌn] |
| niekada | never | ['nevə] |
| niekas (*apie daiktą*) | nothing | ['nʌθɪŋ] |
| (*apie žmogų*) | nobody | ['nəʊbɒdi] |
| niekas (*nulis*) | nought | [nɔːt] |
| nykštys | thumb | [θʌm] |
| nykštukas | dwarf | [dwɔːf] |
| Niujorkas | New York | [ˌnjuː 'jɔːk] |
| niurnėti | grumble | ['grʌmbl] |
| noras | wish | [wɪʃ] |
| norėti (*trokšti*) | want | [wɒnt] |
| (*linkėti*) | wish | [wɪʃ] |
| nosinė | handkerchief | ['hæŋkətʃɪf] |
| nosis | nose | [nəʊz] |
| NSO | UFO | ['juːfəʊ] |
| nugalėtojas | winner | ['wɪnə] |
| nugara | back | [bæk] |
| nugarkaulis | backbone | ['bækbəʊn] |
| nukristi (*nulašėti*) | drop | [drɒp] |
| | fall down | [ˌfɔːl 'daʊn] |
| nulis | zero | ['zɪərəʊ] |
| nuliūdęs | upset | [ʌp'set] |
| numesti | drop | [drɒp] |
| nuo | from | [frɒm], [frəm] |
| nuobodus (*įkyrus*) | boring | ['bɔːrɪŋ] |
| | dull | [dʌl] |
| nuobodžiaujantis | bored | [bɔːd] |
| nuodai | poison | ['pɒɪzn] |
| nuosavas | own | [əʊn] |
| nuostaba | wonder | ['wʌndə] |
| nuostabus | wonderful | ['wʌndəfəl] |
| nuostolis | damage | ['dæmɪdʒ] |
| nuoširdus | sincere | [sɪn'sɪə] |
| nuoširdžiai | sincerely | [sɪn'sɪəli] |

| | | |
|---|---|---|
| nuotykis | adventure | [ədˈventʃə] |
| nuotrauka | photograph | [ˈfəʊtəgrɑːf] |
| *šnek.* | photo | [ˈfəʊtəʊ] |
| *amer.* | picture | [ˈpɪktʃə] |
| Nurimk! | Be quiet! | [ˌbiː ˈkwaɪət] |
| nusikaltėlis | criminal | [ˈkrɪmɪnl] |
| nusikaltimas | crime | [kraɪm] |
| nusileisti | land | [lænd] |
| nusivilkti | take off | [ˌteɪk ˈɒf] |
| nusnūsti | take a nap | [ˌteɪk ə ˈnæp] |
| nuspręsti | decide | [dɪˈsaɪd] |
| nustebęs | surprised | [səˈpraɪzd] |
| nušalimas | frostbite | [ˈfrɒstbaɪt] |
| nužudyti | kill | [kɪl] |

## O o

| | | |
|---|---|---|
| obelis | apple-tree | [ˈæpltriː] |
| observatorija | observatory | [əbˈzɜːvətri] |
| obuolių pyragas | apple pie | [ˈæpl paɪ] |
| oda (*išdirbta*) | leather | [ˈleðə] |
| (*žmogaus, gyvulio*) | skin | [skɪn] |
| Oho! | Wow! | [waʊ] |
| Oi! | Oops! | [uːps] |
| Olimpinės žaidynės | Olympic Games | [ɒˈlɪmpɪk ˌgeɪmz] |
| olimpinis | olympic | [ɒˈlɪmpɪk] |
| omaras | lobster | [ˈlɒbstə] |
| operos ir baleto teatras | opera and ballet theatre | [ˈɒprə ənd ˈbæleɪ θɪətə] |
| operos teatras | opera house | [ˈɒprə haʊs] |
| oras | air | [eə] |
| (*klimatas*) | weather | [ˈweðə] |
| orbita | orbit | [ˈɔːbɪt] |
| originalus | original | [ɒˈrɪdʒənl] |
| orkaitė | oven | [ˈʌvn] |

| | | |
|---|---|---|
| orkestras | band | [bænd] |
| orų prognozė | weather-forecast | [ˈweðə ˌfɔːkɑːst] |
| oro uostas | airport | [ˈeəpɔːt] |
| ovalus | oval | [ˈəʊvəl] |
| ožys | goat | [gəʊt] |
| ožka | goat | [gəʊt] |

## P p

| | | |
|---|---|---|
| paaiškinti | explain | [ɪkˈspleɪn] |
| pabaiga | end | [end] |
| | finish | [ˈfɪnɪʃ] |
| pabaigti (*iki galo*) | complete | [kəmˈpliːt] |
| | finish | [ˈfɪnɪʃ] |
| pabaisa | monster | [ˈmɒnstə] |
| pabėgimas | escape | [ɪˈskeɪp] |
| pabėgti (*išvengti*) | escape | [ɪˈskeɪp] |
| | run away | [ˌrʌn əˈweɪ] |
| ✿ pabudo | woke | [wəʊk] |
| | awoke | [əˈwəʊk] |
| pabusti | wake | [weɪk] |
| | awake | [əˈweɪk] |
| pačiūža | skate | [skeɪt] |
| padanga | tyre | [ˈtaɪə] |
| padaryti klaidą | make a mistake | [ˌmeɪk ə mɪsˈteɪk] |
| padavėja | waitress | [ˈweɪtrɪs] |
| padavėjas | waiter | [ˈweɪtə] |
| padažas | dressing | [ˈdresɪŋ] |
| padėjėjas | assistant | [əˈsɪstənt] |
| padėklas | tray | [treɪ] |
| padengti stalą | lay the table | [ˌleɪ ðə ˈteɪbl] |
| padėti | help | [help] |
| pagalba | help | [help] |
| pagaliau | at last | [ət ˈlɑːst] |
| | finally | [ˈfaɪnəli] |

| | | |
|---|---|---|
| pagalvė | pillow | [ˈpɪləʊ] |
| pagalvėlė | cushion | [ˈkʊʃn] |
| pagamintas iš | made of | [ˈmeɪd əv] |
| paguldyti | lay | [leɪ] |
| ✿ paguldė | laid | [leɪd] |
| pajūris | seaside | [ˈsiːsaɪd] |
| pakalnutė | lily-of-the-valley | [ˌlɪliəvðəˈvæli] |
| pakankamai | enough | [ɪˈnʌf] |
| pa(si)keisti | change | [tʃeɪndʒ] |
| pakelti | lift | [lɪft] |
| paketas | packet | [ˈpækɪt] |
| pakrantė (*jūros*) | coast | [kəʊst] |
| pakraštys | edge | [edʒ] |
| pakviesti | invite | [ɪnˈvaɪt] |
| pakvietimas | invitation | [ɪnvɪˈteɪʃn] |
| palaidinė | blouse | [blaʊz] |
| palangė | windowsill | [ˈwɪndəʊsɪl] |
| palapinė | tent | [tent] |
| paleisti (*raketą*) | launch | [lɔːntʃ] |
| palydovas | satellite | [ˈsætəlaɪt] |
| ✿ paliko | left | [left] |
| palikti | leave | [liːv] |
| palmė | palm tree | [ˈpɑːm triː] |
| paltas | coat | [kəʊt] |
| | overcoat | [ˈəʊvəkəʊt] |
| pamesti | lose | [luːz] |
| ✿ pametė | lost | [lɒst] |
| ✿ pamiršo | forgot | [fəˈgɒt] |
| pamiršti | forget | [fəˈget] |
| pamoka | class | [klɑːs] |
| | lesson | [ˈlesn] |
| pamušalas | lining | [ˈlaɪnɪŋ] |
| panašus | like | [laɪk] |
| panda | panda | [ˈpændə] |
| panelė | Miss | [mɪs] |
| papildomas | extra | [ˈekstrə] |

| | | |
|---|---|---|
| paprastai | usually | [ˈjuːʒʊəli] |
| paprastas | plain | [pleɪn] |
| paprotys | custom | [ˈkʌstəm] |
| papūga | parrot | [ˈpærət] |
| parašiutas | parachute | [ˈpærəʃuːt] |
| ✿ pardavė | sold | [səʊld] |
| pardavėjas, -a | shop-assistant | [ˈʃɒpəsɪstənt] |
| parduoti | sell | [sel] |
| parduotuvė | shop | [ʃɒp] |
| *amer.* | store | [stɔː] |
| pareiga | duty | [ˈdjuːti] |
| pareigūnas | officer | [ˈɒfɪsə] |
| parkas | park | [pɑːk] |
| parkeris | pen | [pen] |
| paroda | exhibition | [ˌeksɪˈbɪʃn] |
| paršiukas | piglet | [ˈpɪglɪt] |
| partneris | partner | [ˈpɑːtnə] |
| pas | to | [tə] |
| pasaka | fairy-tale | [ˈfeəriteɪl] |
| pasakyti/parašyti paraidžiui | spell | [spel] |
| pasakojimas | story | [ˈstɔːri] |
| ✿ pasakojo | told | [təʊld] |
| pasakoti | tell | [tel] |
| pasas | passport | [ˈpɑːspɔːt] |
| pasaulis | world | [wɜːld] |
| pasiekti | reach | [riːtʃ] |
| pasikeitimas | change | [tʃeɪndʒ] |
| pasilikti | stay | [steɪ] |
| ✿ pasirinko | chose | [tʃəʊz] |
| pasirinkti | choose | [tʃuːz] |
| pasirodymas (*spektaklis*) | performance | [pəˈfɔːməns] |
| pasirodyti | appear | [əˈpɪə] |
| pasiruošęs | ready | [ˈredi] |
| pasiteisinimas | excuse | [ɪkˈskjuːs] |

A a Ą ą B b C c Č č D d E e Ę ę Ė ė F f G g H h I i Į į Y y J j K k L l M m N n O o **P p** R r S s Š š T t U u Ū ū V v Z z Ž ž

A a Ą ą B b C c Č č D d E e Ė ė F f G g H h I i Į į Y y J j K k L l M m N n O o **P p** R r S s Š š T t U u Ū ū V v Z z Ž ž

| pasiūlymas | suggestion | [sə'dʒestʃn] |
|---|---|---|
| pasivaikščioti | walk | [wɔːk] |
| Pasivaišinkite! | Help yourself! | [ˌhelp jə'self] |
| paskolinti | lend | [lend] |
| paskui | after | ['ɑːftə] |
| paskutinis | last | [lɑːst] |
| paslaptis | mystery | ['mɪstəri] |
| | secret | ['siːkrɪt] |
| pastaba | note | [nəʊt] |
| pastarnokas | parsnip | ['pɑːsnɪp] |
| pastatas | building | ['bɪldɪŋ] |
| pastebėti | notice | ['nəʊtɪs] |
| pasukti | turn | [tɜːn] |
| paštas (*korespondencija*) | mail | [meɪl] |
| (*skyrìus*) | post-office | ['pəʊstɒfɪs] |
| pašto dėžutė | letterbox | ['letəbɒks] |
| | postbox | ['pəʊstbɒks] |
| pašto ženklas | stamp | [stæmp] |
| pa(si)švęsti | devote | [dɪ'vəʊt] |
| pataisymas | revision | [rɪ'vɪʒn] |
| patarimas | advice | [əd'vaɪs] |
| patarlė | proverb | ['prɒvɜːb] |
| patefonas | record-player | ['rekədpleɪə] |
| patenkintas | glad | [glæd] |
| | pleased | [pliːzd] |
| patiesti (*paguldyti*) | lay | [leɪ] |
| ✿ patiesė (*paguldė*) | laid | [leɪd] |
| patiekalas | dish | [dɪʃ] |
| patinas | male | [meɪl] |
| patys (*mes vieni*) | ourselves | [aʊə'selvz] |
| (*jie, jos vienos*) | themselves | [ðəm'selvz] |
| patogus | comfortable | ['kʌmfətəbl] |
| patogumai *dgs.* | facilities | [fə'sɪlətɪz] |
| paukščiukas | chick | [tʃɪk] |
| Paukščių Takas | Milky Way | [ˌmɪlki 'weɪ] |
| paukštis | bird | [bɜːd] |

| | | |
|---|---|---|
| pavadinimas | title | ['taɪtl] |
| pavargęs | tired | ['taɪəd] |
| pavasaris | spring | [sprɪŋ] |
| paveikslas | painting | ['peɪntɪŋ] |
| paveikslėlis | picture | ['pɪktʃə] |
| paviršius | surface | ['sɜːfɪs] |
| pavyzdys | example | [ɪg'zɑːmpl] |
| pavojingas | dangerous | ['deɪndʒərəs] |
| pavojus | danger | ['deɪndʒə] |
| pažadas | promise | ['prɒmɪs] |
| ✿ pažadino | woke | [wəʊk] |
| pažadinti | wake | [weɪk] |
| pažymėjimas | certificate | [sə'tɪfɪkət] |
| pažymys | mark | [mɑːk] |
| pėda | foot | [fʊt] |
| pėdos | feet | [fiːt] |
| peiliai | knives | [naɪvz] |
| peilis | knife | [naɪf] |
| pelekas | fin | [fɪn] |
| pelenai | ash | [æʃ] |
| pelė | mouse | [maʊs] |
| pelėda | owl | [aʊl] |
| pelės | mice | [maɪs] |
| pelikanas | pelican | ['pelɪkən] |
| penalas | pencil-case | ['penslkeɪs] |
| | pencil-box | ['penslbɒks] |
| penki | five | [faɪv] |
| penkiasdešimt | fifty | ['fɪfti] |
| penkiasdešimtas | fiftieth | ['fɪftɪəθ] |
| penkiolika | fifteen | [ˌfɪf'tiːn] |
| penkioliktas | fifteenth | [ˌfɪf'tiːnθ] |
| penktadienis | Friday | ['fraɪdeɪ], ['fraɪdi] |
| penktas | fifth | [fɪfθ] |
| pensas | pence | [pens] |
| per (*laiką*) | across | [ə'krɒs] |

A a Ą ą B b C c Č č D d E e Ę ę Ė ė F f G g H h I i Į į Y y J j K k L l M m N n O o **P p** R r S s Š š T t U u Ų ų Ū ū V v Z z Ž ž

| per (*laikotarpį*) | during | [ˈdjʊərɪŋ] |
|---|---|---|
| (*kiaurai*) | through | [θruː] |
| per atostogas | during holidays | [ˌdjʊərɪŋ ˈhɒlədeɪz], [ˌdjʊərɪŋ ˈhɒlədɪz] |
| | on holiday | [ɒn ˈhɒlədeɪ], [ɒn ˈhɒlədi] |
| per pietus | at noon | [ət ˈnuːn] |
| per sekundę | per second | [pə ˈsekənd] |
| per valandą | per hour | [pər ˈaʊə] |
| pereiti | cross | [krɒs] |
| perėja (*pėsčiųjų*) | crossing | [ˈkrɒsɪŋ] |
| perėti | hatch | [hætʃ] |
| persekioti | chase | [tʃeɪs] |
| persikas | peach | [piːtʃ] |
| pertrauka | break | [breɪk] |
| pervežimas | transportation | [ˌtrænspɔːˈteɪʃn] |
| pėsčiomis | on foot | [ɒn ˈfʊt] |
| pėsčiųjų perėja | zebra-crossing | [ˈziːbrəkrɒsɪŋ] |
| petys | shoulder | [ˈʃəʊldə] |
| petnešos | braces | [ˈbreɪsɪz] |
| pianinas | piano | [pɪˈænəʊ] |
| pica | pizza | [ˈpiːtsə] |
| pienas | milk | [mɪlk] |
| pienė *bot.* | dandelion | [ˈdændɪlaɪən] |
| pieno kokteilis | milkshake | [ˈmɪlkʃeɪk] |
| ✿ piešė | drew | [druː] |
| piešimo pamoka | drawing | [ˈdrɔːɪŋ] |
| piešinys | drawing | [ˈdrɔːɪŋ] |
| piešti | draw | [drɔː] |
| pieštukas | pencil | [ˈpensl] |
| pietauti | have lunch | [ˌhæv ˈlʌntʃ] |
| pietinis | southern | [ˈsʌðən] |
| pietų kryptis | south | [saʊθ] |
| pietūs | lunch | [lʌntʃ] |
| pieva | meadow | [ˈmedəʊ] |

| | | |
|---|---|---|
| pievelė *(dekoratyvinė)* | lawn | [lɔːn] |
| pigus | cheap | [tʃiːp] |
| piktas | angry | ['æŋgri] |
| (*vaikas*) | bad-tempered | [ˌbæd'tempəd] |
| piktžolė | weed | [wiːd] |
| pilis | castle | ['kɑːsl] |
| | palace | ['pælɪs] |
| piliulė | pill | [pɪl] |
| pilkas | grey | [greɪ] |
| pilkasis lokys | grizzly | ['grɪzli] |
| pilnas | full | [fʊl] |
| pilotas | pilot | ['paɪlət] |
| pilti | pour | [pɔː] |
| pilvas | stomach | ['stʌmək] |
| pilvo skausmas | stomachache | ['stʌməkeɪk] |
| pingvinas | penguin | ['peŋgwɪn] |
| pinigai | money | ['mʌni] |
| piniginė | purse | [pɜːs] |
| pipirai | pepper | ['pepə] |
| pyragas | pie | [paɪ] |
| piramidė | pyramid | ['pɪrəmɪd] |
| piratas | pirate | ['paɪərət] |
| pirkėjas | customer | ['kʌstəmə] |
| pirklys | merchant | ['mɜːtʃənt] |
| ✿ pirko | bought | [bɔːt] |
| pirkti | buy | [baɪ] |
| pirmadienis | Monday | ['mʌndeɪ], ['mʌndi] |
| pirmas | first | [fɜːst] |
| pirmas aukštas | ground floor | ['graʊnd flɔː] |
| pirmyn | forwards | ['fɔːwədz] |
| pirštas | finger | ['fɪŋgə] |
| pirštinė | glove | [glʌv] |
| pirštų atspaudas | fingerprint | ['fɪŋgəprɪnt] |
| pižama | pyjamas | [pə'dʒɑːməz] |
| pjauti | cut | [kʌt] |
| ✿ pjovė | cut | [kʌt] |

| | | |
|---|---|---|
| plakatas | poster | [ˈpəʊstə] |
| plaktukas | hammer | [ˈhæmə] |
| planas | plan | [plæn] |
| (*schema*) | diagram | [ˈdaɪəgræm] |
| planeta | planet | [ˈplænɪt] |
| plastilinas | plasticine | [ˈplæstɪsiːn] |
| plastmasė | plastic | [ˈplæstɪk] |
| platus | wide | [waɪd] |
| (*erdvus*) | broad | [brɔːd] |
| plaukai | hair | [heə] |
| ✿ plaukė | swam | [swæm] |
| plaukikas | swimmer | [ˈswɪmə] |
| plaukimas | swimming | [ˈswɪmɪŋ] |
| plaukioti | have a swim | [ˌhæv ə ˈswɪm] |
| plaukti (*laivu*) | sail | [seɪl] |
| (*maudytis*) | swim | [swɪm] |
| plaukų kasa | plait | [plæt] |
| plaukų šepetys | hairbrush | [ˈheəbrʌʃ] |
| plaukuotas | hairy | [ˈheəri] |
| plaustas | raft | [rɑːft] |
| plaušinė | mop | [mɒp] |
| plauti | wash | [wɒʃ] |
| plautis (*kūno organas*) | lung | [lʌŋ] |
| plautuvė | sink | [sɪŋk] |
| plazdenti | flap | [flæp] |
| plepys | chatterbox | [ˈtʃætəbɒks] |
| plėšikas | robber | [ˈrɒbə] |
| plėšikauti | rob | [rɒb] |
| pliaukštelėti | slap | [slæp] |
| pliažas (*paplūdimys*) | beach | [biːtʃ] |
| plikas | bald | [bɔːld] |
| plyta | brick | [brɪk] |
| pliusas | plus | [plʌs] |
| pliušinis meškutis | teddy bear | [ˈtedi beə] |
| plokštelė | record | [ˈrekəd] |
| plonas | thin | [θɪn] |

| | | |
|---|---|---|
| ploti | clap | [klæp] |
| plūduriuoti | float | [fləʊt] |
| plunksna (*paukščio*) | feather | ['feðə] |
| Plutonas | Pluto | ['plu:təʊ] |
| po | under | ['ʌndə] |
| | after | ['ɑ:ftə] |
| pogulis | nap | [næp] |
| poilsis | rest | [rest] |
| pokalbis | conversation | [ˌkɒnvə'seɪʃn] |
| | dialogue | ['daɪəlɒg] |
| pokšėti | pop | [pɒp] |
| pokštas | joke | [dʒəʊk] |
| | trick | [trɪk] |
| policija | police | [pə'li:s] |
| policijos nuovada | police station | [pə'li:s ˌsteɪʃn] |
| policininkas | policeman | [pə'li:smən] |
| pomidoras | tomato | [tə'mɑ:təʊ] |
| pomidorų padažas | ketchup | ['ketʃəp] |
| pompa | pump | [pʌmp] |
| ponas | Mr | ['mɪstə] |
| ponia | lady | ['leɪdi] |
| | Mrs | ['mɪsɪz] |
| ponis | pony | ['pəʊni] |
| popierius | paper | ['peɪpə] |
| popietė | afternoon | [ˌɑ:ftə'nu:n] |
| popiet *lot.* | p.m. | [ˌpəʊst mə'rɪdɪəm] |
| populiarus | popular | ['pɒpjulə] |
| pora | pair | [peə] |
| poromis | in pairs | [ɪn 'peəz] |
| portugalas | Portuguese | [ˌpɔ:tʃʊ'gi:z] |
| Portugalija | Portugal | ['pɔ:tʃʊgl] |
| portugališkas | Portuguese | [ˌpɔ:tʃʊ'gi:z] |
| portugalų kalba | Portuguese | [ˌpɔ:tʃʊ'gi:z] |
| posakis | saying | ['seɪɪŋ] |
| potvynis | flood | [flʌd] |

| | | |
|---|---|---|
| povandeninis laivas | submarine | [ˌsʌbməˈriːn] |
| povas | peacock | [ˈpiːkɒk] |
| poveikis | effect | [ɪˈfekt] |
| ✿ pradėjo | began | [bɪˈgæn] |
| pradėti | begin | [bɪˈgɪn] |
| | start | [stɑːt] |
| pradinis | primary | [ˈpraɪməri] |
| pradžia | beginning | [bɪˈgɪnɪŋ] |
| | start | [stɑːt] |
| praeiti | pass (by) | [pɑːs] |
| praeiti pro | go through | [ˌgəʊ ˈθruː] |
| praeitis | past | [pɑːst] |
| praeivis | passerby | [ˌpɑːsəˈbaɪ] |
| praleisti | miss | [mɪs] |
| (*praslysti*) | slip | [slɪp] |
| pramoga | entertainment | [ˌentəˈteɪnmənt] |
| pranašautoja | fortune-teller | [ˈfɔːtʃuːntelə] |
| prancūzas | Frenchman | [ˈfrentʃmən] |
| prancūzė | Frenchwomen | [ˈfrentʃwʊmən] |
| Prancūzija | France | [frɑːns] |
| prancūzų kalba | French | [frentʃ] |
| pranešimas | message | [ˈmesɪdʒ] |
| Prašant! (*daryti*) | Please! | [pliːz] |
| prašau | please | [pliːz] |
| prašymas | request | [rɪˈkwest] |
| prašyti išmaldos | beg | [beg] |
| Prašom! (*ką duodant*) | Here you are! | [ˈhɪə jʊ ˌɑː] |
| prašyti | ask | [ɑːsk] |
| pratybos (*įgūdžiams*) | drill | [drɪl] |
| | practice | [ˈpræktɪs] |
| pratimas | exercise | [ˈeksəsaɪz] |
| prausti | wash | [wɒʃ] |
| praustis po dušu | have a shower | [ˌhæv ə ˈʃaʊə] |
| pravardė | nickname | [ˈnɪkneɪm] |
| pretenduoti | pretend | [prɪˈtend] |
| prekystalis | counter | [ˈkaʊntə] |

| | | |
|---|---|---|
| prekių sąrašas | shopping list | [ˈʃɒpɪŋ lɪst] |
| pridėti | add | [æd] |
| prie | at | [ət] |
| priekis | front | [frʌnt] |
| priekyje | in front of | [ɪn ˈfrʌnt əv] |
| prielinksnis | preposition | [ˌprepəˈzɪʃn] |
| prielinksnis (*žymi nutolimą*) | off | [ɒf] |
| prielinksnis (*žymi priklausomumą*) | of | [əv] |
| prieplauka | harbour | [ˈhɑːbə] |
| prieš | against | [əˈgeɪnst] |
| (*praeityje*) | ago | [əˈgəʊ] |
| (*anksčiau*) | before | [bɪˈfɔː] |
| prieš mūsų erą | BC | [bɪˌfɔː ˈkraɪst] |
| priešas | enemy | [ˈenɪmi] |
| priešais | opposite | [ˈɒpəzɪt] |
| priešpiet *lot.* | a. m. | [ˌæntɪ məˈrɪdɪəm] |
| prieveiksmis | adverb | [ˈædvɜːb] |
| priežiūra | control | [kənˈtrəʊl] |
| prijaukinti | tame | [teɪm] |
| prijuostė | apron | [ˈeɪprən] |
| prikaistuvas | saucepan | [ˈsɔːspən] |
| priklausyti | belong | [bɪˈlɒŋ] |
| ✿ prilipo | stuck | [stʌk] |
| prilipti | stick | [stɪk] |
| princas | prince | [prɪns] |
| princesė | princess | [ˌprɪnˈses] |
| prinokęs | mellow | [ˈmeləʊ] |
| | ripe | [raɪp] |
| prisiminti | remember | [rɪˈmembə] |
| pristatyti | deliver | [dɪˈlɪvə] |
| pritarti | agree | [əˈgriː] |
| pritvirtinti | attach | [əˈtætʃ] |
| ✿ privalėjo | had to | [ˈhæd tə] |

A a
Ą ą
B b
C c
Č č
D d
E e
Ė ė
F f
G g
H h
I i
Į į
Y y
J j
K k
L l
M m
N n
O o
**P p**
R r
S s
Š š
T t
U u
Ū ū
V v
Z z
Ž ž

| | | |
|---|---|---|
| privalėti (*aplinkybės*) | have to | [ˈhæv tə] |
| (*būtinumas*) | must | [mʌst], [məst] |
| prizas | prize | [praɪz] |
| prižiūrėti | look after | [ˌlʊk ˈɑːftə] |
| pro | through | [θruː] |
| procentas | per cent | [pə ˈsent] |
| profesorius | professor | [prəˈfesə] |
| proginė suknelė | gown | [gaʊn] |
| programa | programme | [ˈprəʊgræm] |
| programuotojas | computer programmer | [kəmˈpjuːtə ˌprəʊgræmə] |
| projektas | project | [ˈprɒdʒekt] |
| protingas | clever | [ˈklevə] |
| | intelligent | [ɪnˈtelɪdʒənt] |
| publika | audience | [ˈɔːdɪəns] |
| pudingas | pudding | [ˈpʊdɪŋ] |
| Puiku! | Great! | [greɪt] |
| puikus | brilliant | [ˈbrɪlɪənt] |
| | fine | [faɪn] |
| puma | puma | [ˈpjuːmə] |
| pumpuoti | pump | [pʌmp] |
| pumpuras | bud | [bʌd] |
| puodas | pot | [pɒt] |
| puodelis | cup | [kʌp] |
| puodelis (*arbatai*) | mug | [mʌg] |
| puokštė | bunch | [bʌntʃ] |
| puošti | decorate | [ˈdekəreɪt] |
| pupa | bean | [biːn] |
| purpurinis | purple | [ˈpɜːpl] |
| purvinas | dirty | [ˈdɜːti] |
| pusbrolis | cousin | [ˈkʌzn] |
| pusė | half | [hɑːf] |
| pusės | halves | [hɑːvz] |
| pusiau pilnas | half full | [ˈhɑːf fʊl] |
| puskojinė | sock | [sɒk] |
| puslapis | page | [peɪdʒ] |

| | | |
|---|---|---|
| pusryčiai | breakfast | [ˈbrekfəst] |
| pusryčiauti | have breakfast | [ˌhæv ˈbrekfəst] |
| pusseserė | cousin | [ˈkʌzn] |
| pūsti | blow | [bləʊ] |
| pušis | pine | [paɪn] |
| ✿ pūtė | blew | [bluː] |

## R r

| | | |
|---|---|---|
| radijas | radio | [ˈreɪdɪəʊ] |
| ✿ rado | found | [faʊnd] |
| ragana | witch | [wɪtʃ] |
| raganosis | rhinoceros | [raɪˈnɒsərəs] |
| | rhino *šnek.* | [ˈraɪnəʊ] |
| ragas | horn | [hɔːn] |
| ragauti | taste | [teɪst] |
| raidė | letter | [ˈletə] |
| raitelis | horseman | [ˈhɔːsmən] |
| raketa | rocket | [ˈrɒkɪt] |
| raketė | racket | [ˈrækɪt] |
| raktas | key | [kiː] |
| ramiai | quietly | [ˈkwaɪətli] |
| ramunėlė | camomile | [ˈkæməmaɪl] |
| ramus | quiet | [ˈkwaɪət] |
| randas | scar | [skɑː] |
| ranka *(nuo plaštakos iki peties)* | arm | [ɑːm] |
| *(plaštaka)* | hand | [hænd] |
| rankdarbis | handicraft | [ˈhændɪkrɑːft] |
| rankena | handle | [ˈhændl] |
| rankinis laikrodis | watch | [wɒtʃ] |
| rankovė | sleeve | [sliːv] |
| rankšluostis | towel | [ˈtaʊəl] |
| rasa | dew | [djuː] |
| rąstas | log | [lɒg] |

A a Ą ą B b C c Č č D d E e Ė ė F f G g H h I i Į į Y y J j K k L l M m N n O o P p **R r** S s Š š T t U u Ū ū V v Z z Ž ž

| | | |
|---|---|---|
| rasti | find | [faɪnd] |
| rašalas | ink | [ɪŋk] |
| ✿ rašė | wrote | [rəʊt] |
| rašymas | writing | [ˈraɪtɪŋ] |
| rašysena | writing | [ˈraɪtɪŋ] |
| rašyba | spelling | [ˈspelɪŋ] |
| rašyti | write | [raɪt] |
| rašomasis stalas | desk | [desk] |
| rašomasis popierius | writing-paper | [ˈraɪtɪŋpeɪpə] |
| raštelis | note | [nəʊt] |
| ratas (*automobilo*) | wheel | [wiːl] |
| | circle | [ˈsɜːkl] |
| ratukinės pačiūžos | roller skates | [ˈrəʊlə skeɪts] |
| raudonas | red | [red] |
| razina | raisin | [ˈreɪzn] |
| reaktyvinis lėktuvas | jet | [dʒet] |
| regbis | rugby | [ˈrʌgbi] |
| regėjimas | sight | [saɪt] |
| registratorius | receptionist | [rɪˈsepʃənɪst] |
| reikėti | need | [niːd] |
| reikšmė | meaning | [ˈmiːnɪŋ] |
| reikšti | mean | [miːn] |
| ✿ reiškė | meant | [ment] |
| rėkti | shout | [ʃaʊt] |
| rengti vakarėlį | have a party | [ˌhæv ə ˈpɑːti] |
| rengtis | dress | [dres] |
| rentgeno spinduliai | X-ray | [ˈeksreɪ] |
| repeticija | rehearsal | [rɪˈhɜːsl] |
| replės | pliers | [ˈplaɪəz] |
| reporteris | reporter | [rɪˈpɔːtə] |
| restoranas | restaurant | [ˈrestrɒnt] |
| rezultatas | score | [skɔː] |
| riaumoti | roar | [rɔː] |
| ridikas | radish | [ˈrædɪʃ] |
| riebus | fat | [fæt] |
| riedlentė | skateboard | [ˈskeɪtbɔːd] |

| | | |
|---|---|---|
| riedučiai | roller blades | [ˈrəʊlə bleɪdz] |
| riekė | slice | [slaɪs] |
| riešas | wrist | [rɪst] |
| riešutas | nut | [nʌt] |
| riešutų spaustukai | nutcracker | [ˈnʌtkrækə] |
| ryklys | shark | [ʃɑːk] |
| rinkinys | set | [set] |
| | collection | [kəˈlekʃn] |
| rinkti (*kolekcionuoti*) | collect | [kəˈlekt] |
| | gather | [ˈgæðə] |
| | pick | [pɪk] |
| rišti | tie | [taɪ] |
| rytai | East | [iːst] |
| rytas | morning | [ˈmɔːnɪŋ] |
| riteris | knight | [naɪt] |
| ryti | swallow | [ˈswɒləʊ] |
| rytinis | eastern | [ˈiːstən] |
| rytoj | tomorrow | [təˈmɒrəʊ] |
| ryžiai | rice | [raɪs] |
| robotas | robot | [ˈrəʊbɒt] |
| rodyti (į) | point | [pɒɪnt] |
| | show | [ʃəʊ] |
| rogės | sledge | [sledʒ] |
| rogių sportas | sledging | [ˈsledʒɪŋ] |
| romantiškas | romantic | [rəʊˈmæntɪk] |
| rombas | diamond | [ˈdaɪəmənd] |
| romėnas | Roman | [ˈrəʊmən] |
| romėniškas | Roman | [ˈrəʊmən] |
| roplys | reptile | [ˈreptaɪl] |
| rožė *bot.* | rose | [rəʊz] |
| rožinis | pink | [pɪŋk] |
| rudas | brown | [braʊn] |
| ruduo | autumn | [ˈɔːtəm] |
| *amer.* | fall | [fɔːl] |
| rugiagėlė | cornflower | [ˈkɔːnflaʊə] |
| rugpjūtis | August | [ˈɔːgəst] |

A a Ą ą B b C c Č č D d E e Ę ę Ė ė F f G g H h I i Į į Y y J j K k L l M m N n O o P p **R r** S s Š š T t U u Ū ū V v Z z Ž ž

| | | |
|---|---|---|
| rugsėjis | September | [sepˈtembə] |
| rūgštus | sour | [ˈsaʊə] |
| rūkas | fog | [fɒg] |
| rūkyti | smoke | [sməʊk] |
| rūkti | smoke | [sməʊk] |
| rūmai | palace | [ˈpælɪs] |
| rungtynės | match | [mætʃ] |
| ruonis | seal | [si:l] |
| rūpinimasis | care | [keə] |
| rūpintis | care | [keə] |
| rupūžė | toad | [təʊd] |
| rusas | Russian | [ˈrʌʃn] |
| Rusija | Russia | [ˈrʌʃə] |
| rusiškas | Russian | [ˈrʌʃn] |
| rusų kalba | Russian | [ˈrʌʃn] |
| rūsys | basement | [ˈbeɪsmənt] |
| rūšis (*veislė*) | kind | [kaɪnd] |
| (*klasė*) | sort | [sɔ:t] |
| (*tipas*) | type | [taɪp] |

## S s

| | | |
|---|---|---|
| safari | safari | [səˈfɑ:ri] |
| saga | button | [ˈbʌtn] |
| sagė | brooch | [brəʊtʃ] |
| sakai | resin | [ˈrezɪn] |
| ✿ sakė | said | [sed] |
| sakinys | sentence | [ˈsentəns] |
| sakyti | say | [seɪ] |
| sala | island | [ˈaɪlənd] |
| saldainis *amer.* | candy | [ˈkændi] |
| saldumynų parduotuvė | sweet shop | [ˈswi:t ʃɒp] |
| saldus | sweet | [swi:t] |
| salė | hall | [hɔ:l] |
| salieras | celery | [ˈseləri] |

| | | |
|---|---|---|
| sąlyga | condition | [kən'dɪʃn] |
| salotos *(lapai)* | lettuce | ['letɪs] |
| (*patiekalas*) | salad | ['sæləd] |
| samana | moss | [mɒs] |
| sandalas | sandal | ['sændl] |
| sandėlis | store | [stɔ:] |
| santuoka | marriage | ['mærɪdʒ] |
| sapnas | dream | [dri:m] |
| ✿ sapnavo | dreamt | [dremt] |
| sapnuoti | dream | [dri:m] |
| sąrašas | list | [lɪst] |
| sąsiuvinis | exercise-book | ['eksəsaɪzbʊk] |
| Saturnas | Saturn | ['sætən] |
| saugus | safe | [seɪf] |
| saulė | sun | [sʌn] |
| saulėgrąža | sunflower | ['sʌnflaʊə] |
| saulės šviesa | sunshine | ['sʌnʃaɪn] |
| saulėtas | sunny | ['sʌni] |
| saulutė *bot.* | daisy | ['deɪzi] |
| sausainis | biscuit | ['bɪskɪt] |
| *amer.* | cookie | ['kʊki] |
| sausas | dry | [draɪ] |
| sausis | January | ['dʒænjʊəri] |
| savaitė | week | [wi:k] |
| savaitgalis | weekend | [ˌwi:k'end] |
| savanaudis | selfish | ['selfɪʃ] |
| sąvaržėlė | paperclip | ['peɪpəklɪp] |
| schema | chart | [tʃɑ:t] |
| ✿ sėdėjo | sat | [sæt] |
| sėdėti | sit | [sɪt] |
| sėkla | seed | [si:d] |
| seklys | detective | [dɪ'tektɪv] |
| sekmadienis | Sunday | ['sʌndeɪ], ['sʌndi] |
| sėkmė | fortune | ['fɔ:tʃu:n] |
| | luck | [lʌk] |

A a
Ą ą
B b
C c
Č č
D d
E e
Ė ė
F f
G g
H h
I i
Į į
Y y
J j
K k
L l
M m
N n
O o
P p
R r
**S s**
Š š
T t
U u
Ū ū
V v
Z z
Ž ž

| | | |
|---|---|---|
| sekretorius, -ė | secretary | ['sekrətri] |
| sekti | follow | ['fɒləʊ] |
| | trace | [treɪs] |
| sekundė | second | ['sekənd] |
| senas | old | [əʊld] |
| senelė | grandmother | ['grænmʌðə] |
| *šnek.* | grandma | ['grænmɑː] |
| senelis | grandfather | ['grænfɑːðə] |
| *šnek.* | granddad | ['grændæd] |
| *šnek.* | grandpa | ['grænpɑː] |
| seneliai | grandparents | ['grænpeərənts] |
| Senis Šaltis | Father Frost | [ˌfɑːðə 'frɒst] |
| senovinis | ancient | ['eɪnʃənt] |
| septyni | seven | ['sevn] |
| septyniasdešimt | seventy | ['sevnti] |
| septyniasdešimtas | seventieth | ['sevntɪəθ] |
| septyniolika | seventeen | [ˌsevn'tiːn] |
| septynioliktas | seventeenth | [ˌsevn'tiːnθ] |
| septintas | seventh | ['sevnθ] |
| seras (*kreipinys*) | sir | [sɜː] |
| serbentai | currant | ['kʌrənt] |
| sergantis | sick | [sɪk] |
| | ill | [ɪl] |
| serialas | series | ['sɪəriːz] |
| serija | series | ['sɪəriːz] |
| seselė (*medicinos*) | nurse | [nɜːs] |
| Sėskite! | Take a seat! | [ˌteɪk ə 'siːt] |
| sesuo | sister | ['sɪstə] |
| siaubas | horror | ['hɒrə] |
| siaubingas | terrible | ['terəbl] |
| siauras | narrow | ['nærəʊ] |
| sicilietis | Sicilian | [sɪ'sɪlɪən] |
| sicilietiškas | Sicilian | [sɪ'sɪlɪən] |
| sidabras | silver | ['sɪlvə] |
| sidabrinis | silvery | ['sɪlvəri] |
| siena | wall | [wɔːl] |

| | | |
|---|---|---|
| sijonas | skirt | [skɜːt] |
| silkė | herring | [ˈherɪŋ] |
| silpnas | weak | [wiːk] |
| sirgti | be ill | [ˌbiː ˈɪl] |
| siūlas | thread | [θred] |
| siūlyti | suggest | [səˈdʒest] |
| ✿ siuntė | sent | [sent] |
| siuntinys | parcel | [ˈpɑːsl] |
| siurprizas | surprise | [səˈpraɪz] |
| siųsti | send | [send] |
| (*paštu*) | post | [pəʊst] |
| siūti | sew | [səʊ] |
| skafandras | spacesuit | [ˈspeɪssuːt] |
| skaičiavimo mašinėlė | calculator | [ˈkælkjʊleɪtə] |
| skaičiuoti | count | [kaʊnt] |
| skaičius | number | [ˈnʌmbə] |
| ✿ skaitė | read | [red] |
| skaitymas | reading | [ˈriːdɪŋ] |
| skaityti | read | [riːd] |
| skalbimas | washing | [ˈwɒʃɪŋ] |
| skalbimo mašina | clothes-washer | [ˈkləʊðzwɒʃə] |
| | washer | [ˈwɒʃə] |
| skalbti | wash | [wɒʃ] |
| ✿ skambėjo | rang | [ræŋ] |
| skambėti | sound | [saʊnd] |
| *šnek.* | buzz | [bʌz] |
| (*apie telefoną*) | ring | [rɪŋ] |
| skambinti (*telefonu*) | phone | [fəʊn] |
| skambutis (*varpelis*) | bell | [bel] |
| skanus | delicious | [dɪˈlɪʃəs] |
| | tasty | [ˈteɪsti] |
| skardinė | tin | [tɪn] |
| skatinant (*daryti*) | Please! | [pliːz] |
| skaudėti galvą | have a headache | [ˌhæv ə ˈhedeɪk] |
| skaudėti gerklę | have a sore throat | [ˌhæv ə ˈsɔː ˈθrəʊt] |

| | | |
|---|---|---|
| skausmas | pain | [peɪn] |
| skelbimas | advertisement | [əd'vɜːtɪsmənt] |
| | notice | ['nəʊtɪs] |
| skelbimų lenta | noticeboard | ['nəʊtɪsbɔːd] |
| ✿ skendo | sank | [sæŋk] |
| skersai | across | [ə'krɒs] |
| skęsti | drown | [draʊn] |
| (*grimzti*) | sink | [sɪŋk] |
| skylė | hole | [həʊl] |
| skiltis | graph | [græf], [grɑːf] |
| skyrius (*knygos*) | chapter | ['tʃæptə] |
| | section | ['sekʃn] |
| skirtingas | different | ['dɪfrənt] |
| skirtumas | difference | ['dɪfrəns] |
| sklandymas | gliding | ['glaɪdɪŋ] |
| sklandytuvas | glider | ['glaɪdə] |
| ✿ skolino | lent | [lent] |
| skolinti | lend | [lend] |
| skolintis | borrow | ['bɒrəʊ] |
| skonis | taste | [teɪst] |
| skrebutis | toast | [təʊst] |
| skrybėlė | hat | [hæt] |
| ✿ skrido | flew | [fluː] |
| skristi | fly | [flaɪ] |
| skrudinti | toast | [təʊst] |
| skruostas | cheek | [tʃiːk] |
| skruzdėlė | ant | [ænt] |
| skubėti | hurry | ['hʌri] |
| (*skubotai veikti*) | rush | [rʌʃ] |
| skulptūra | sculpture | ['skʌlptʃə] |
| slankstelis (*stuburo*) | vertebra | ['vɜːtɪbrə] |
| slaptas | secret | ['siːkrɪt] |
| slėnis | valley | ['væli] |
| slenkstis | doorstep | ['dɔːstep] |
| ✿ slėpėsi | hid | [hɪd] |
| slėpynės | hide-and-seek | [ˌhaɪdənd'siːk] |

| | | |
|---|---|---|
| slėptis | hide | [haɪd] |
| slidė | ski | [skiː] |
| slidinėjimas | skiing | [ˈskiːɪŋ] |
| slidinėti | ski | [skiː] |
| slidininkas | skier | [ˈskiːə] |
| ✿ slydo | slid | [slɪd] |
| slysti | slide | [slaɪd] |
| | slip | [slɪp] |
| slyva | plum | [plʌm] |
| sluoksnis | layer | [ˈleɪə] |
| smagiai leisti laiką | have a lot of fun | [ˌhæv ə lɒt əv ˈfʌn] |
| smakras | chin | [tʃɪn] |
| smalsiai žiūrėti | stare | [steə] |
| smegenys | brain | [breɪn] |
| smeigtukas | pin | [pɪn] |
| smėlis | sand | [sænd] |
| smuikas | violin | [ˌvaɪəˈlɪn] |
| smulkinti | crush | [krʌʃ] |
| smulkmena | trifle | [ˈtraɪfl] |
| smulkus | tiny | [ˈtaɪni] |
| (*mažytis*) | little | [ˈlɪtl] |
| snaigė | snowflake | [ˈsnəʊfleɪk] |
| snapas | beak | [biːk] |
| sniegas | snow | [snəʊ] |
| sniego gniūžtė | snowball | [ˈsnəʊbɔːl] |
| snieguolė *bot.* | snowdrop | [ˈsnəʊdrɒp] |
| snieguotas | snowy | [ˈsnəʊi] |
| snigti | snow | [snəʊ] |
| sodas | garden | [ˈgɑːdn] |
| sodininkas | gardener | [ˈgɑːdnə] |
| sodinti | plant | [plɑːnt] |
| sofa | sofa | [ˈsəʊfə] |
| sostas | throne | [θrəʊn] |
| sostinė | capital | [ˈkæpɪtl] |
| spagečiai | spaghetti | [spəˈgeti] |
| spalis | October | [ɒkˈtəʊbə] |

| | | |
|---|---|---|
| spalva | colour | ['kʌlə] |
| spalvingas | colourful | ['kʌləfəl] |
| sparnas | wing | [wɪŋ] |
| spaudos pardavėjas | newsagent | ['nju:zeɪdʒənt] |
| spausdinti | print | [prɪnt] |
| (*mašinėlė*) | type | [taɪp] |
| spausdintuvas | printer | ['prɪntə] |
| spausti | press | [pres] |
| specialybė | speciality | [ˌspeʃɪ'æləti] |
| specialus | special | ['speʃl] |
| spėti | guess | [ges] |
| spyglys (*dyglys*) | prickle | ['prɪkl] |
| spyna | lock | [lɒk] |
| spindulys | ray | [reɪ] |
| spirti | kick | [kɪk] |
| sportas | sport | [spɔ:t] |
| sportiniai batai | running shoes | ['rʌnɪŋ ʃu:z] |
| | trainers | ['treɪnəz] |
| sportininkas | sportsman | ['spɔ:tsmən] |
| sportinis kostiumas | tracksuit | ['træksu:t] |
| sporto prekių parduotuvė | sports center | ['spɔ:ts sentə] |
| sporto salė | gymnasium | [dʒɪm'neɪzɪəm] |
| *šnek.* | gym | [dʒɪm] |
| spragtelėti | click | [klɪk] |
| (*pirštais*) | snap | [snæp] |
| sprendimas (*nutarimas*) | decision | [dɪ'sɪʒn] |
| (*išaiškinimas*) | solution | [sə'lu:ʃn] |
| spręsti uždavinius | do sums | [ˌdu: 'sʌmz] |
| sprogimas | explosion | [ɪk'spləʊʒn] |
| sprogti | explode | [ɪk'spləʊd] |
| sraigė | snail | [sneɪl] |
| sriuba | soup | [su:p] |
| srovė | stream | [stri:m] |
| stabdys | brake | [breɪk] |
| stačiakampis | rectangle | ['rektæŋgl] |
| stadionas | stadium | ['steɪdɪəm] |

| | | |
|---|---|---|
| staiga | suddenly | [ˈsʌdnli] |
| stalas | table | [teɪbl] |
| stalčius | drawer | [ˈdrɔːə] |
| stalo tenisas | table tennis | [ˈteɪbl tenɪs] |
| stalo teniso kamuoliukas | ping-pong | [ˈpɪŋpɒŋ] |
| staltiesė | tablecloth | [ˈteɪblklɒθ] |
| starteris | starter | [ˈstɑːtə] |
| ✿ statė | built | [bɪlt] |
| statybininkas | builder | [ˈbɪldə] |
| statyti | build | [bɪld] |
| statula | statue | [ˈstætʃuː] |
| stebėti (*žiūrėti TV*) | watch | [wɒtʃ] |
| stebėtis | wonder | [ˈwʌndə] |
| stebinti | surprise | [səˈpraɪz] |
| stebuklas | magic | [ˈmædʒɪk] |
| stebuklų šalis | wonderland | [ˈwʌndəlænd] |
| styga | string | [strɪŋ] |
| stiklainis | jar | [dʒɑː] |
| stiklas | glass | [glɑːs] |
| stiklinė | glass | [glɑːs] |
| stiprus | strong | [strɒŋ] |
| stirna | roe | [rəʊ] |
| | hind | [haɪnd] |
| stogas | roof | [ruːf] |
| storas | thick | [θɪk] |
| *(riebus)* | fat | [fæt] |
| stotelė | stop | [stɒp] |
| stotis | station | [ˈsteɪʃn] |
| ✿ stovėjo | stood | [stʊd] |
| stovėti | stand | [stænd] |
| stovykla | camp | [kæmp] |
| straipsnis | article | [ˈɑːtɪkl] |
| straublys | trunk | [trʌŋk] |
| strazdana | freckle | [ˈfrekl] |
| strėlė | arrow | [ˈærəʊ] |
| striukė | jacket | [ˈdʒækɪt] |

A a Ą ą B b C c Č č D d E e Ė ė F f G g H h I i Į į Y y J j K k L l M m N n O o P p R r **S s** Š š T t U u Ū ū V v Z z Ž ž

| | | |
|---|---|---|
| stropus | hard-working | [ˌhɑːdˈwɜːkɪŋ] |
| strutis | ostrich | [ˈɒstrɪtʃ] |
| studentas | student | [ˈstjuːdnt] |
| studija | studio | [ˈstjuːdɪəʊ] |
| studijos | studies | [ˈstʌdɪz] |
| studijuoti | study | [ˈstʌdi] |
| stulbinantis | amazing | [əˈmeɪzɪŋ] |
| stulpas | pole | [pəʊl] |
| stumti | push | [pʊʃ] |
| su | with | [wɪð] |
| Su gimimo diena! | Happy birthday! | [ˌhæpi ˈbɜːθdeɪ] |
| suakmenėjusi iškasena | fossil | [ˈfɒsɪl] |
| suaugęs žmogus | grown-up | [ˈgrəʊnʌp] |
| sudaužyti | smash | [smæʃ] |
| ✿ sudavė | hit | [hɪt] |
| suderinti | match | [mætʃ] |
| Sudie! | Goodbye! | [gʊdˈbaɪ] |
| suduoti | hit | [hɪt] |
| sudužti | crash | [kræʃ] |
| sugadinti | damage | [ˈdæmɪdʒ] |
| sugriauti | ruin | [ruːɪn] |
| sugrįžti | come back | [ˌkʌm ˈbæk] |
| suimti | arrest | [əˈrest] |
| suknelė | dress | [dres] |
| sukrečiantis | shocking | [ˈʃɒkɪŋ] |
| sukrėtimas | shock | [ʃɒk] |
| suktuvas | screwdriver | [ˈskruːdraɪvə] |
| sultys | juice | [dʒuːs] |
| suma | sum | [sʌm] |
| sumuštinis | sandwich | [ˈsænwɪdʒ] |
| sūnėnas | nephew | [ˈnevjuː] |
| sunkiai | heavily | [ˈhevɪli] |
| sunkus (*keblus*) | difficult | [ˈdɪfɪkəlt] |
| (*kietas*) | hard | [hɑːd] |
| (*apie daiktą*) | heavy | [ˈhevi] |
| sunkvežimis *amer.* | truck | [trʌk] |
| | lorry | [ˈlɒri] |

| | | |
|---|---|---|
| sūnus | son | [sʌn] |
| suodžiai | smoke | [sməʊk] |
| suoliukas | bench | [bentʃ] |
| ✿ suposi | swung | [swʌŋ] |
| suprasti | understand | [ˌʌndə'stænd] |
| ✿ suprato | understood | [ˌʌndə'stʊd] |
| suptis | swing | [swɪŋ] |
| sūris | cheese | [tʃi:z] |
| surišti į uodegą plaukai | ponytail | ['pəʊniteɪl] |
| sūrus | salty | ['sɔ:lti] |
| susikaupti | concentrate | ['kɒnsəntreɪt] |
| susirašinėjimo draugas | pen-friend | ['penfrend] |
| ✿ susitraukė | shrank | [ʃræŋk] |
| susitraukti | shrink | [ʃrɪŋk] |
| sustoti | stop | [stɒp] |
| sutarti | agree | [ə'gri:] |
| ✿ sutiko | met | [met] |
| sutikti | meet | [mi:t] |
| ✿ sužeidė | hurt | [hɜ:t] |
| sužeisti | hurt | [hɜ:t] |
| svajonė | dream | [dri:m] |
| ✿ svajojo | dreamt | [dremt] |
| svajoti | dream | [dri:m] |
| svaras | pound | [paʊnd] |
| svarbus | important | [ɪm'pɔ:tnt] |
| svarstyklės | scales | [skeɪlz] |
| svečias | guest | [gest] |
| sveikas | healthy | ['helθi] |
| Sveikas! | Hello! | [hə'ləʊ] |
| sveikata | health | [helθ] |
| Sveiki atvykę! | Welcome! | ['welkəm] |
| sveikinimas | congratulation | [kənˌgrætjʊ'leɪʃn] |
| | greeting | ['gri:tɪŋ] |
| sveikinti | congratulate | [kən'grætjʊleɪt] |
| | greet . | [gri:t] |
| sverti | weigh | [weɪ] |

A a Ą ą B b C c Č č D d E e Ė ė F f G g H h I i Į į Y y J j K k L l M m N n O o P p R r S s Š š T t U u Ū ū V v Z z Ž ž

| | | |
|---|---|---|
| svetainė | living-room | [ˈlɪvɪŋrʊm] |
| (*svečių*) | sitting-room | [ˈsɪtɪŋrʊm] |
| ✿ sviedė | cast | [kɑːst] |
| sviestas | butter | [ˈbʌtə] |
| sviesti | cast | [kɑːst] |
| sviestinė bandelė | muffin | [ˈmʌfɪn] |
| svogūnas | onion | [ˈʌnjən] |
| svoris | weight | [weɪt] |

## Š š

| | | |
|---|---|---|
| Ša! Tylėk! | Hush! | [hʌʃ] |
| šachmatai | chess | [tʃes] |
| šaka | branch | [brɑːntʃ] |
| šakelė | twig | [twɪg] |
| šaknis | root | [ruːt] |
| šakutė (*valgymo*) | fork | [fɔːk] |
| šaldiklis | freezer | [ˈfriːzə] |
| šaldytuvas | refrigerator | [rɪˈfrɪdʒəreɪtə] |
| *šnek.* | fridge | [frɪdʒ] |
| šalia | beside | [bɪˈsaɪd] |
| (*greta*) | next to | [ˈnekst tə] |
| (*transporto priemonei*) | by | [baɪ] |
| šaligatvis | pavement | [ˈpeɪvmənt] |
| *amer.* | sidewalk | [ˈsaɪdwɔːk] |
| šalikai | scarves | [skɑːvz] |
| šalikas | scarf | [skɑːf] |
| šalin | away | [əˈweɪ] |
| šalis | country | [ˈkʌntri] |
| šalmas | helmet | [ˈhelmɪt] |
| ✿ šalo | froze | [frəʊz] |
| šaltas | cold | [kəʊld] |
| šalti | freeze | [friːz] |
| šaltis | frost | [frɒst] |
| šampūnas | shampoo | [ʃæmˈpuː] |

| | | |
|---|---|---|
| šarka | magpie | [ˈmægpaɪ] |
| šaškės | draughts | [drɑːfts] |
| šaukštas | spoon | [spuːn] |
| šautuvas | gun | [gʌn] |
| šeima | family | [ˈfæməli] |
| šepetys | brush | [brʌʃ] |
| šerifas | sheriff | [ˈʃerɪf] |
| šerkšnas | frost | [frɒst] |
| šermukšnis | mountain ash | [ˈmaʊntɪn æʃ] |
| šernas | wild boar | [ˈwaɪld bɔː] |
| šešėlis | shadow | [ˈʃædəʊ] |
| šeši | six | [sɪks] |
| šešiakampis | hexagon | [ˈheksəgən] |
| šešiasdešimt | sixty | [ˈsɪksti] |
| šešiasdešimtas | sixtieth | [ˈsɪkstɪəθ] |
| šešiolika | sixteen | [ˌsɪksˈtiːn] |
| šešioliktas | sixteenth | [ˌsɪksˈtiːnθ] |
| šeštadienis | Saturday | [ˈsætədeɪ], [ˈsætədi] |
| šeštas | sixth | [sɪksθ] |
| ši | this | [ðɪs] |
| šiandien | today | [təˈdeɪ] |
| šiaudas | straw | [strɔː] |
| šiaurė | north | [nɔːθ] |
| šiaurinis | northern | [ˈnɔːðən] |
| šie, šios | these | [ðiːz] |
| šienas | hay | [heɪ] |
| šieno kūgis | haystack | [ˈheɪstæk] |
| šikšnosparnis | bat | [bæt] |
| šildytuvas | heater | [ˈhiːtə] |
| šilkas | silk | [sɪlk] |
| šiltas | warm | [wɔːm] |
| šiluma | warmth | [wɔːmθ] |
| šimpanzė | chimpanzee | [ˌtʃɪmpənˈziː] |
| šimtakojis | centipede | [ˈsentɪpiːd] |
| šimtas | hundred | [ˈhʌndrəd] |
| šimtasis | hundredth | [ˈhʌndrədθ] |

| | | |
|---|---|---|
| šypsena | smile | [smaɪl] |
| šypsotis | smile | [smaɪl] |
| šiokiadienis | weekday | [ˈwiːkdeɪ] |
| šios | these | [ðiːz] |
| širdis | heart | [hɑːt] |
| šis | this | [ðɪs] |
| šiukšlės | rubbish | [ˈrʌbɪʃ] |
| šiukšlių dėžė | bin | [bɪn] |
| | dustbin | [ˈdʌstbɪn] |
| *amer.* | waste-paper basket | [ˈweɪstpeɪpə ˌbɑːskɪt] |
| šiurkštus | rough | [rʌf] |
| šiurpus | creepy | [ˈkriːpi] |
| šiuolaikiškas | modern | [ˈmɒdn] |
| šįvakar | tonight | [təˈnaɪt] |
| škotas | Scotsman | [ˈskɒtsmən] |
| Škotija | Scotland | [ˈskɒtlənd] |
| škotiškas | Scottish | [ˈskɒtɪʃ] |
| šlaitas | slope | [sləʊp] |
| šlapias | wet | [wet] |
| ✿ šlavė | swept | [swept] |
| šlepetė | slipper | [ˈslɪpə] |
| ✿ šliaužė | crept | [krept] |
| šliaužiantis | creeping | [ˈkriːpɪŋ] |
| šliaužti | crawl | [krɔːl] |
| | creep | [kriːp] |
| šlubas | limp | [lɪmp] |
| šluota | broom | [bruːm], [brum] |
| šluoti | sweep | [swiːp] |
| šnervės | nostrils | [ˈnɒstrəlz] |
| šnibždėti | whisper | [ˈwɪspə] |
| šnipas | spy | [spaɪ] |
| šnipinėti | spy | [spaɪ] |
| šokdynė | skipping-rope | [ˈskɪpɪŋrəʊp] |
| šokėjas (-a) | dancer | [ˈdɑːnsə] |
| šokinėti (*per* | jump | [dʒʌmp] |
| *šokdynę*) *amer.* | skip | [skɪp] |

| | | |
|---|---|---|
| šokoladas | chocolate | [ˈtʃɒklət] |
| šokti | dance | [dɑːns] |
| šokuoti | hop | [hɒp] |
| šonas | side | [saɪd] |
| šortai | shorts | [ʃɔːts] |
| špyga | fig | [fɪg] |
| štai ten | over there | [ˌəʊvə ˈðeə] |
| šukė | chip | [tʃɪp] |
| šukos | comb | [kəʊm] |
| šukuosena | haircut | [ˈheəkʌt] |
| šukuotis | comb | [kəʊm] |
| šunelis | doggy | [ˈdɒgi] |
| šungrybis | toadstool | [ˈtəʊdstuːl] |
| šuo | dog | [dɒg] |
| Šv. Valentino diena | St. Valentines day | [snt ˈvælən-taɪnz ˌdeɪ] |
| švarkas | coat | [kəʊt] |
| | jacket | [ˈdʒækɪt] |
| švarus | clean | [kliːn] |
| | neat | [niːt] |
| šveicaras | Swiss | [swɪs] |
| Šveicarija | Switzerland | [ˈswɪtsələnd] |
| šveicariškas | Swiss | [swɪs] |
| šveisti | scrub | [skrʌb] |
| švelniai | gently | [ˈdʒentli] |
| | softly | [ˈsɒftli] |
| švelnus (*klimatas*) | mild | [maɪld] |
| (*minkštas*) | soft | [sɒft] |
| švelnus vėjelis | breeze | [briːz] |
| šventas | saint | [seɪnt] |
| šventė | holiday | [ˈhɒlədeɪ], [ˈhɒlədi] |
| šviesa | light | [laɪt] |
| šviesoforas | traffic-lights | [ˈtræfɪklaɪts] |
| šviesiaplaukis (-ė) | blond | [blɒnd] |
| šviesti | shine | [ʃaɪn] |

| | | |
|---|---|---|
| šviesus | bright | [braɪt] |
| šviesūs (*plaukai*) | fair | [feə] |
| ✿ švietė | shone | [ʃɒn] |
| šviežias | fresh | [freʃ] |
| švilpti | whistle | [ˈwɪsl] |
| švilpukas | whistle | [ˈwɪsl] |
| švyturys | lighthouse | [ˈlaɪthaʊs] |

## T t

| | | |
|---|---|---|
| ta | that | [ðæt] |
| tada | then | [ðen] |
| tai (*apie daiktą, gyvūną*) | it | [ɪt] |
| taigi | so | [səʊ] |
| taika | peace | [piːs] |
| taip | yes | [jes] |
| taip kaip | as | [æz], [əz] |
| taip pat | also | [ˈɔːlsəʊ] |
| (*sakinio gale*) | too | [tuː] |
| taisyklė | rule | [ruːl] |
| taisymas | correction | [kəˈrekʃn] |
| taisyti (*klaidas*) | correct | [kəˈrekt] |
| (*remontuoti*) | fix | [fɪks] |
| (*tikslinti*) | revise | [rɪˈvaɪz] |
| takas (*siauras*) | lane | [leɪn] |
| | path | [pɑːθ] |
| taksi | taxi | [ˈtæksi] |
| talentas | talent | [ˈtælənt] |
| tamsus | dark | [dɑːk] |
| ✿ tapo | became | [bɪˈkeɪm] |
| tapšnoti | tap | [tæp] |
| tapti | become | [bɪˈkʌm] |
| tarnas | servant | [ˈsɜːvənt] |
| tarnautojas | office-worker | [ˈɒfɪswɜːkə] |
| tarp | between | [bɪˈtwiːn] |
| tas | that | [ðæt] |

| | | |
|---|---|---|
| tas pats | same | [seɪm] |
| taškas | dot | [dɒt] |
| taškuotas | spotted | [ˈspɒtɪd] |
| taupyti | save | [seɪv] |
| tautos šventė | National day | [ˌnæʃnəl ˈdeɪ] |
| tavo (*su daiktv.*) | your | [jɔː] |
| (*be daiktv.*) | yours | [jɔːz] |
| teatras | theatre | [ˈθɪətə] |
| teikti malonumą | please | [pliːz] |
| teikti pirmenybę | prefer | [prɪˈfɜː] |
| teisėjas | judge | [dʒʌdʒ] |
| Teisingai! | That's right! | [ˌðæts ˈraɪt] |
| teisingas | correct | [kəˈrekt] |
| | right | [raɪt] |
| | true | [truː] |
| teisti | judge | [dʒʌdʒ] |
| tekėti | flow | [fləʊ] |
| telefonas | telephone | [ˈtelɪfəʊn] |
| telefono būdelė | telephone booth | [ˈtelɪfəʊn buːθ] |
| | telephone box | [ˈtelɪfəʊn bɒks] |
| telefono numeris | telephone numbe | [ˈtelɪfəʊn nʌmbə] |
| telefono ragelis | receiver | [rɪˈsiːvə] |
| teleskopas | telescope | [ˈtelɪskəʊp] |
| televizija | television | [ˌtelɪˈvɪʒn] |
| televizorius | TV set | [tiːˈviː ˌset] |
| temperatūra | temperature | [ˈtemprətʃə] |
| ten | there | [ðeə] |
| tenisas | tennis | [ˈtenɪs] |
| teniso aikštelė | tennis-court | [ˈtenɪskɔːt] |
| teptukas | paintbrush | [ˈpeɪntbrʌʃ] |
| termometras | thermometer | [θəˈmɒmɪtə] |
| tęsti | continue | [kənˈtɪnjuː] |
| (*trukti*) | last | [lɑːst] |
| tešla | paste | [peɪst] |
| teta | aunt | [ɑːnt] |
| tėtis *šnek.* | dad | [dæd] |
| *šnek.* | pa | [pɑː] |

A a Ą ą B b C c Č č D d E e Ė ė F f G g H h I i Į į Y y J j K k L l M m N n O o P p R r S s Š š **T t** U u Ū ū V v Z z Ž ž

| | | |
|---|---|---|
| tėvai | parents | [ˈpeərənts] |
| tėvas | father | [ˈfɑːðə] |
| tėvelis *šnek.* | daddy | [ˈdædi] |
| tie | those | [ðəʊz] |
| tiesiai | straight | [streɪt] |
| tiesioginis | direct | [dɪˈrekt] |
| tiesus | straight | [streɪt] |
| tigras | tiger | [ˈtaɪgə] |
| tik | only | [ˈəʊnli] |
| tikėjimas | belief | [bɪˈliːf] |
| tikėti | believe | [bɪˈliːv] |
| tikėtis | hope | [həʊp] |
| tikyba | religion | [rɪˈlɪdʒən] |
| tikrai | really | [ˈriːəli], [ˈrɪəli] |
| tikras | real | [riːəl], [rɪəl] |
| tikrinti | check | [tʃek] |
| tikslas | goal | [gəʊl] |
| tikti | fit | [fɪt] |
| tyla | silence | [ˈsaɪləns] |
| tyliai | softly | [ˈsɒftli] |
| tylus | soft | [sɒft] |
| tiltas | bridge | [brɪdʒ] |
| tingus | lazy | [ˈleɪzi] |
| tinklas | net | [net] |
| tinklinis | volleyball | [ˈvɒlɪbɔːl] |
| tirpti | melt | [melt] |
| tirštas | thick | [θɪk] |
| tirti | investigate | [ɪnˈvestɪgeɪt] |
| todėl | so | [səʊ] |
| toks | such | [sʌtʃ] |
| | so | [səʊ] |
| toli | far | [fɑː] |
| tolimas | distant | [ˈdɪstənt] |
| tortas | cake | [keɪk] |
| tos | those | [ðəʊz] |
| traktorius | tractor | [ˈtræktə] |
| tramvajus | tram | [træm] |

| | | |
|---|---|---|
| transportas | transport | ['trænspɔːt] |
| transporto priemonė | vehicle | ['viːɪkl] |
| traškučiai | chips | [tʃɪps] |
| traukinys | train | [treɪn] |
| traukiniu | by train | [baɪ 'treɪn] |
| traukti | drag | [dræg] |
| | pull | [pʊl] |
| trečiadienis | Wednesday | ['wenzdeɪ], ['wenzdi] |
| trečias | third | [θɜːd] |
| treneris | coach | [kəʊtʃ] |
| treniruotė | practice | ['præktɪs] |
| trenksmas | bang | [bæŋ] |
| trenkti(s) | bang | [bæŋ] |
| trikampis | triangle | ['traɪæŋgl] |
| triko (*drabužis*) | tights | [taɪts] |
| trileris | thriller | ['θrɪlə] |
| trylika | thirteen | [ˌθɜː'tiːn] |
| tryliktas | thirteenth | [ˌθɜː'tiːnθ] |
| trimestras | term | [tɜːm] |
| trimitas | bugle | ['bjuːgl] |
| | trumpet | ['trʌmpɪt] |
| trinti | rub | [rʌb] |
| trintukas | eraser | [ɪ'reɪzə] |
| *amer.* | rubber | ['rʌbə] |
| trynukai | triplets | ['trɪpləts] |
| trisdešimt | thirty | ['θɜːti] |
| trisdešimtas | thirtieth | ['θɜːtɪəθ] |
| trys | three | [θriː] |
| triukšmas | noise | [nɒɪz] |
| triukšmingai | noisily | ['nɒɪzɪli] |
| triušis | rabbit | ['ræbɪt] |
| trobelė | cottage | ['kɒtɪdʒ] |
| trombonas | trombone | [trɒm'bəʊn] |
| trukdyti | disturb | [dɪ'stɜːb] |
| tu | you | [juː], [ju], [jə] |
| tu pats | yourself | [jɔː'self], [jə'self] |
| tualetas | toilet | ['tɒɪlɪt] |

A a Ą ą B b C c Č č D d E e Ė ė F f G g H h I i Į į Y y J j K k L l M m N n O o P p R r S s Š š T t U u Ū ū V v Z z Ž ž

| | | |
|---|---|---|
| tūkstantis | thousand | [ˈθaʊzənd] |
| tulpė | tulip | [ˈtjuːlɪp] |
| tunelis | tunnel | [ˈtʌnl] |
| tuo tarpu | meanwhile | [ˈmiːnwaɪl] |
| tuoj pat | right now | [ˌraɪt ˈnaʊ] |
| ✿ turėjo | had got | [həd ˈgɒt] |
| | had | [hæd], [həd] |
| turėti | have | [hæv], [həv] |
| turi (*aš, tu, jūs, mes, jie*) | have got | [həv ˈgɒt] |
| (*jis, ji*) | has got | [həz ˈgɒt] |
| (*jis, ji*) | has | [hæz], [həz] |
| turgus | market | [ˈmɑːkɪt] |
| turistas | tourist | [ˈtʊərɪst] |
| turkas (-ė) | Turk | [tɜːk] |
| Turkija | Turkey | [ˈtɜːki] |
| turkiškas | Turkish | [ˈtɜːkɪʃ] |
| turkų kalba | Turkish | [ˈtɜːkɪʃ] |
| turtas | wealth | [welθ] |
| turtingas | rich | [rɪtʃ] |
| | wealthy | [ˈwelθi] |
| tuščias | empty | [ˈempti] |
| (*neprirašytas*) | blank | [blæŋk] |
| tušinukas | ballpoint pen | [ˈbɔːlpɒɪnt ˌpen] |
| tvarkaraštis | timetable | [ˈtaɪmteɪbl] |
| tvarkingas | neat | [niːt] |
| | tidy | [ˈtaɪdi] |
| tvarkyti | tidy | [ˈtaɪdi] |
| tvarstis | bandage | [ˈbændɪdʒ] |
| tvenkinys | pond | [pɒnd] |
| tvora | fence | [fens] |

## U u, Ū ū

| | | |
|---|---|---|
| ugniagesys | fireman | [ˈfaɪəmən] |
| ugniagesių mašina | fire-engine | [ˈfaɪərˌendʒɪn] |

| | | |
|---|---|---|
| ugnis | fire | ['faɪə] |
| ūkanotas | foggy | ['fɒgi] |
| ūkininkas | farmer | ['fɑːmə] |
| ūkis | farm | [fɑːm] |
| undinėlė | mermaid | ['mɜːmeɪd] |
| ungurys | eel | [iːl] |
| uniforma | uniform | ['juːnɪfɔːm] |
| universalinė parduotuvė | department store | [dɪ'pɑːtmənt ˌstɔː] |
| | supermarket | ['suːpəmɑːkɪt] |
| uodas | gnat | [næt] |
| uodega | tail | [teɪl] |
| uoga | berry | ['beri] |
| uogienė | jam | [dʒæm] |
| uola | rock | [rɒk] |
| uostyti | smell | [smel] |
| upė | river | ['rɪvə] |
| uraganas | hurricane | ['hʌrɪkən] |
| Uranas | Uranus | [jʊ'reɪnəs] |
| urvas | cave | [keɪv] |
| ūsai | moustache | [mə'stɑːʃ] |
| už | behind | [bɪ'haɪnd] |
| už nugaros | at the back of | [ət ðə 'bæk əv] |
| uždaryti | close | [kləʊz] |
| uždengti | cover | ['kʌvə] |
| užeiti (*vidun*) | come in | [ˌkʌm 'ɪn] |
| užgrobti | invade | [ɪn'veɪd] |
| užkandinė (*savitarna*) | cafeteria | [ˌkæfə'tɪərɪə] |
| (*bufetas*) | snack-bar | ['snækbɑː] |
| užkandis | snack | [snæk] |
| užkąsti prieš einant gulti | have supper | [ˌhæv 'sʌpə] |
| užkimęs | hoarse | [hɔːs] |
| užpildyti | fill | [fɪl] |
| užrakinti | lock | [lɒk] |
| Užsičiaupk! | Shut up! | [ˌʃʌt 'ʌp] |
| užsiėmęs | busy | ['bɪzi] |

| | | |
|---|---|---|
| užsukti | turn off | [ˌtɜːn ˈɒf] |
| užtraukti užtrauktuką | zip | [zɪp] |
| užtrauktukas | zipper | [ˈzɪpə] |
| užuolaida | curtain | [ˈkɜːtn] |
| užvesti | start | [stɑːt] |
| užverti | shut | [ʃʌt] |
| ✿ užvėrė | shut | [ʃʌt] |

## V v

| | | |
|---|---|---|
| vabalas | beetle | [ˈbiːtl] |
| *amer.* | bug | [bʌg] |
| vabzdys | insect | [ˈɪnsekt] |
| vadas | chief | [tʃiːf] |
| vadinti | call | [kɔːl] |
| vadovas | leader | [ˈliːdə] |
| vadovauti | lead | [liːd] |
| ✿ vadovavo | led | [led] |
| vadovėlis | schoolbook | [ˈskuːlbʊk] |
| | textbook | [ˈtekstbʊk] |
| vagis | thief | [θiːf] |
| vagys | thieves | [θiːvz] |
| vaidentis | haunt | [hɔːnt] |
| vaiduoklis | ghost | [gəʊst] |
| vaikai | children | [ˈtʃɪldrən] |
| vaikaitė | granddaughter | [ˈgrændɔːtə] |
| vaikaitis | grandson | [ˈgrænsʌn] |
| vaikas | child | [tʃaɪld] |
| *šnek.* | kid | [kɪd] |
| vaikinas *amer.* | guy | [gaɪ] |
| vaikiška lovelė | cot | [kɒt] |
| vaikščiojimas | walking | [ˈwɔːkɪŋ] |
| (*po parduotuves*) | shopping | [ˈʃɒpɪŋ] |
| vaikščioti | walk | [wɔːk] |
| | have a walk | [ˌhæv ə ˈwɔːk] |

| | | |
|---|---|---|
| vaikų žaidimas rutuliukais | marbles | ['mɑːblz] |
| vainikas | wreath | [riːθ] |
| vainiklapis | petal | ['petl] |
| ✿ vairavo | drove | [drəʊv] |
| vairuoti | drive | [draɪv] |
| vairuotojas | driver | ['draɪvə] |
| vaisiai | fruit | [fruːt] |
| vaisių pardavėjas | fruitseller | ['fruːtselə] |
| vaistai | medicine | ['medsn] |
| vaistininkas | chemist | ['kemɪst] |
| vaišinti | treat | [triːt] |
| vaivorykštė | rainbow | ['reɪnbəʊ] |
| vaizdo magnetofonas | video recorder | ['vɪdɪəʊ rɪkɔːdə] |
| vakar | yesterday | ['jestədeɪ], ['jestədi] |
| vakarai | west | [west] |
| vakaras | evening | ['iːvnɪŋ] |
| vakarėlis | party | ['pɑːti] |
| vakarienė | dinner | ['dɪnə] |
| (*kukli*) | supper | ['sʌpə] |
| vakarieniauti | have dinner | [ˌhæv 'dɪnə] |
| vakarų | western | ['westən] |
| valanda (*60 min.*) | hour | ['aʊə] |
| (*pagal laikrodį*) | o'clock | [ə'klɒk] |
| valdyti | rule | [ruːl] |
| valdovas | ruler | ['ruːlə] |
| ✿ valgė | ate | [et] |
| valgiaraštis | menu | ['menjuː] |
| valgykla | canteen | [kæn'tiːn] |
| valgis | meal | [miːl] |
| valgis prieš einant gulti | supper | ['sʌpə] |
| valgyti | eat | [iːt] |
| | have a meal | [ˌhæv ə 'miːl] |
| valgomasis | dining-room | ['daɪnɪŋrʊm] |

| | | |
|---|---|---|
| Valio! | Hooray! | [hʊˈrei] |
| | Hurrah! | [hʊˈrɑː] |
| valyti | clean | [kliːn] |
| valyti šepečiu | brush | [brʌʃ] |
| valytojas | cleaner | [ˈkliːnə] |
| valtis | boat | [bəʊt] |
| vampyras | vampire | [ˈvæmpaɪə] |
| vamzdis | tube | [tjuːb] |
| vanagas | hawk | [hɔːk] |
| vandenynas | ocean | [ˈəʊʃn] |
| vandentiekis | running water | [ˈrʌnɪŋ wɔːtə] |
| vanduo | water | [ˈwɔːtə] |
| vapsva | wasp | [wɒsp] |
| vardas | first name | [ˈfɜːst neɪm] |
| | name | [neɪm] |
| vardas ir pavardė | full name | [ˈfʊl neɪm] |
| | name | [neɪm] |
| vargšas | poor | [pʊə] |
| variklis | engine | [ˈendʒɪn] |
| varis | copper | [ˈkɒpə] |
| varlė | frog | [frɒg] |
| varna | crow | [krəʊ] |
| varnelė (*ženklas*) | tick | [tɪk] |
| varnėnas | starling | [ˈstɑːlɪŋ] |
| varpelis | bell | [bel] |
| vartai | gate | [geɪt] |
| varžybos | contest | [ˈkɒntəst] |
| varžtas | screw | [skruː] |
| vasara | summer | [ˈsʌmə] |
| vasaris | February | [ˈfebrʊəri] |
| vasaros atostogos | summer holidays | [ˌsʌmə ˈhɒlədeɪz] |
| | | [ˌsʌmə ˈhɒlədɪz] |
| vaza | vase | [vɑːz] |
| ✿ važiavo | rode | [rəʊd] |
| važinėjimas riedlente | skateboarding | [ˈskeɪtbɔːdɪŋ] |

| | | |
|---|---|---|
| važinėti rogėmis | sledge | [sledʒ] |
| važinėtis | have a ride | [ˌhæv ə ˈraɪd] |
| važiuoti (*dviračiu*) | ride | [raɪd] |
| (*vairuoti*) | drive | [draɪv] |
| vėduoklė | fan | [fæn] |
| veidas | face | [feɪs] |
| veidrodis | mirror | [ˈmɪrə] |
| veiksmas | action | [ˈækʃn] |
| veiksmažodis | verb | [vɜːb] |
| veikti | act | [ækt] |
| vėjas | wind | [wɪnd] |
| vėjuotas | windy | [ˈwɪndi] |
| vėl | again | [əˈgen] |
| vėliava | flag | [flæg] |
| Velykos | Easter | [ˈiːstə] |
| Velsas | Wales | [weɪlz] |
| vėlus | late | [leɪt] |
| Venera | Venus | [ˈviːnəs] |
| veranda | porch | [pɔːtʃ] |
| vergas | slave | [sleɪv] |
| vėrinys | necklace | [ˈneklɪs] |
| verkti | cry | [krai] |
| ✿ verpė | spun | [spʌn] |
| verpstė | spinning-wheel | [ˈspɪnɪŋwiːl] |
| verpti | spin | [spɪn] |
| verslininkas | businessman | [ˈbɪznɪsmən] |
| versti į kitą kalbą | translate | [trænzˈleɪt] |
| veršiukai | calves | [kɑːvz] |
| veršiukas | calf | [kɑːf] |
| vertė | worth | [wɜːθ] |
| vertimas į kitą kalbą | translation | [trænzˈleɪʃn] |
| veržti | screw | [skruː] |
| vesti | marry | [ˈmæri] |
| (*vadovauti*) | lead | [liːd] |
| vėsus | cool | [kuːl] |
| vežimas | cart | [kɑːt] |

A a Ą ą B b C c Č č D d E e Ė ė F f G g H h I i Į į Y y J j K k L l M m N n O o P p R r S s Š š T t U u Ū ū V v Z z Ž ž

| | | |
|---|---|---|
| vėžlys | tortoise | [ˈtɔ:təs] |
| viduje | in | [ɪn] |
| vidinis | inside | [ɪnˈsaɪd] |
| vidurdienis | midday | [ˌmɪdˈdeɪ] |
| | noon | [nu:n] |
| viduryje | in the middle of | [ɪn ðə ˈmɪdl əv] |
| vidurinis (*mokslas*) | secondary | [ˈsekəndəri] |
| vidurys | middle | [ˈmɪdl] |
| vidurnaktis | midnight | [ˈmɪdnaɪt] |
| vidutinis | medium | [ˈmi:dɪəm] |
| vieną kartą | once | [wʌns] |
| vienas (*skaičius*) | one | [wʌn] |
| vienas iš dviejų | either | [ˈaɪðə] |
| vienas pats | alone | [əˈləʊn] |
| vienišas | lonely | [ˈləʊnli] |
| vienodas (*lygus*) | egual | [ˈi:kwəl] |
| vienuolika | eleven | [ɪˈlevn] |
| vienuoliktas | eleventh | [ɪˈlevnθ] |
| viešbutis | hotel | [həʊˈtel] |
| vieta | place | [pleɪs] |
| (*sėdėti*) | seat | [si:t] |
| vikriai (*greitai*) | quickly | [ˈkwɪkli] |
| vikrus (*greitas*) | quick | [kwɪk] |
| vikšras | caterpillar | [ˈkætəpɪlə] |
| viktorina | quiz | [kwɪz] |
| vilkai | wolves | [wʊlvz] |
| vilkas | wolf | [wʊlf] |
| vilkelis (*žaislas*) | spinning top | [ˈspɪnɪŋ tɒp] |
| vilkėti | wear | [weə] |
| vilna | wool | [wʊl] |
| viltis | hope | [həʊp] |
| vynas | wine | [waɪn] |
| vinis | nail | [neɪl] |
| vynuogė | grape | [greɪp] |
| violetinė spalva | violet | [ˈvaɪələt] |
| vyrai | men | [men] |

| | | |
|---|---|---|
| vyras (*sutuoktinis*) | husband | ['hʌzbənd] |
| (*lytis*) | male | [meɪl] |
| (*žmogus*) | man | [mæn] |
| virdulys | kettle | ['ketl] |
| virėjas | cook | [kʊk] |
| viryklė | cooker | ['kʊkə] |
| | stove | [stəʊv] |
| virpėjimas | vibration | [vaɪ'breɪʃn] |
| virš | above | [ə'bʌv] |
| | over | ['əʊvə] |
| viršelis | cover | ['kʌvə] |
| viršun (*laiptais*) | upstairs | [ʌp'steəz] |
| viršus | top | [tɒp] |
| viršutiniame aukšte | upstairs | [ʌp'steəz] |
| virinti | boil | [bɒɪl] |
| virti (*gaminti*) | cook | [kʊk] |
| virtuvė | kitchen | ['kɪtʃn] |
| vyrukas *šnek.* | chap | [tʃæp] |
| virvė | rope | [rəʊp] |
| (*plona*) | string | [strɪŋ] |
| vis dar | still | [stɪl] |
| vis tiek | anyway | ['eniweɪ] |
| visada | always | ['ɔːlweɪz] |
| visata | universe | ['juːnɪvɜːs] |
| visi kiti | all the rest | [ˌɔːl ðə 'rest] |
| visi (*apie žmogų*) | everybody | ['evribədi] |
| | all | [ɔːl] |
| viskas | everything | ['evriθɪŋ] |
| Viskas gerai! | All right! | [ˌɔːl 'raɪt] |
| visos | all | [ɔːl] |
| visur | everywhere | ['evriweə] |
| Viso gero! | Goodbye! | [gʊd'baɪ] |
| visus metus | all-year-round | [ˌɔːl jɪe 'raʊnd] |
| viščiukas | chicken | ['tʃɪkɪn] |
| *šnek.* | chick | [tʃɪk] |
| vyšnia | cherry | ['tʃeri] |

| | | |
|---|---|---|
| vištа | hen | [hen] |
| vyturys | skylark | [ˈskaɪlɑːk] |
| vizitas | visit | [ˈvɪzɪt] |
| ✿ vogė | stole | [stəʊl] |
| vogti | steal | [stiːl] |
| vokas | envelope | [ˈenvələʊp] |
| vokiečių kalba | German | [ˈdʒɜːmən] |
| Vokietija | Germany | [ˈdʒɜːməni] |
| vokietis | German | [ˈdʒɜːmən] |
| vokiškas | German | [ˈdʒɜːmən] |
| vonia | bath | [bɑːθ] |
| (*kambarys*) | bathroom | [ˈbɑːθrʊm] |
| *amer.* | bathtub | [ˈbɑːθtʌb] |
| voras | spider | [ˈspaɪdə] |
| voratinklis | web | [web] |
| voverė | squirrel | [ˈskwɪrəl] |
| vulkanas | volcano | [vɒlˈkeɪnəʊ] |

## Z z

| | | |
|---|---|---|
| zebras | zebra | [ˈziːbrə] |
| zylė | titmouse | [ˈtɪtmaʊs] |
| zoologijos sodas | zoo | [zuː] |
| zvimbimas | buzz | [bʌz] |

## Ž ž

| | | |
|---|---|---|
| žadėti | promise | [ˈprɒmɪs] |
| žadintuvas | alarm-clock | [əˈlɑːmklɒk] |
| žaibas | lightning | [ˈlaɪtnɪŋ] |
| žaidėjas | player | [ˈpleɪə] |
| žaidimas | game | [geɪm] |
| žaidimų aikštė | playground | [ˈpleɪgraʊnd] |
| žaidimų kambarys | playroom | [ˈpleɪrʊm] |

| | | |
|---|---|---|
| žaislas | toy | [tɒɪ] |
| žaislų parduotuvė | toy shop | [ˈtɒɪ ʃɒp] |
| žaisti | play | [pleɪ] |
| *šnek.* | have a game | [ˌhæv ə ˈgeɪm] |
| žalias | green | [griːn] |
| žandikaulis | jaw | [dʒɔː] |
| žąsis | goose | [guːs] |
| žąsys | geese | [giːs] |
| žavėtis | admire | [ədˈmaɪə] |
| žavus | charming | [ˈtʃɑːmɪŋ] |
| želė (*drebučiai*) | jelly | [ˈdʒeli] |
| žemas | low | [ləʊ] |
| Žemė (*planeta*) | Earth | [ɜːθ] |
| (*dirva*) | ground | [graʊnd] |
| (*sausuma*) | land | [lænd] |
| žemėlapis | map | [mæp] |
| žemės drebėjimas | earthquake | [ˈɜːθkweɪk] |
| žemės trauka | gravity | [ˈgrævɪti] |
| žemiau | below | [bɪˈləʊ] |
| (*po*) | beneath | [bɪˈniːθ] |
| žemyn | down | [daʊn] |
| žemyn laiptais | downstairs | [ˌdaʊnˈsteəz] |
| žemynas | continent | [ˈkɒntɪnənt] |
| žemuogė | strawberry | [ˈstrɔːbəri] |
| ženklas | sign | [saɪn] |
| ženkliukas | badge | [bædʒ] |
| žiauriai | fiercely | [ˈfɪəsli] |
| žiaurus (*negailestingas*) | cruel | [krʊəl] |
| (*piktas*) | fierce | [fɪəs] |
| žibintas iš moliūgo | jack-o-lantern | [ˌdʒækəˈlæntən] |
| žibintuvėlis | torch | [tɔːtʃ] |
| žibsėti | twinkle | [ˈtwɪŋkl] |
| žibutė *bot.* | violet | [ˈvaɪələt] |
| žydėjimas | blossom | [ˈblɒsəm] |
| židinys | fireplace | [ˈfaɪəpleɪs] |
| žiedas (*ant piršto*) | ring | [rɪŋ] |

| | | |
|---|---|---|
| žiedinis kopūstas | cauliflower | [ˈk ɒlɪflaʊə] |
| žiedlapis | petal | [ˈpetl] |
| žiema | winter | [ˈwɪntə] |
| žygis pėsčiomis | hike | [haɪk] |
| žygiuoti | march | [mɑːtʃ] |
| žymeklis | marker | [ˈmɑːkə] |
| žymė | mark | [mɑːk] |
| žymėti | mark | [mɑːk] |
| žymimasis artikelis | the | [ðə] |
| žymus | famous | [ˈfeɪməs] |
| žinduolis | mammal | [ˈmæml] |
| žingsnis | step | [step] |
| žiniukas | whizz-kid | [ˈwɪzkɪd] |
| žinoma | of course | [əv ˈkɔːs] |
| ✿ žinojo | knew | [njuː] |
| žinoti | know | [nəʊ] |
| žinutė | message | [ˈmesɪdʒ] |
| žiogas | grasshopper | [ˈgrɑːshɒpə] |
| žiovauti | yawn | [jɔːn] |
| žirafa | giraffe | [dʒəˈrɑːf] |
| žirklės | scissors | [ˈsɪzəz] |
| žirnis | pea | [piː] |
| žiūrėti | look | [lʊk] |
| (*TV*) | watch | [wɒtʃ] |
| žiurkė | rat | [ræt] |
| žiurkėnas | hamster | [ˈhæmstə] |
| žiūronai | binoculars | [bɪˈnɒkjʊləz] |
| žiūrovai (*publika*) | audience | [ˈɔːdɪəns] |
| žiūrovų salė | auditorium | [ˌɔːdɪˈtɔːrɪəm] |
| žmogus | man | [mæn] |
| | human being | [ˌhjuːmən ˈbiːɪŋ] |
| | person | [ˈpɜːsn] |
| žmogžudystė | murder | [ˈmɜːdə] |
| žmona | wife | [waɪf] |
| žmonės | people | [ˈpiːpl] |
| | men | [men] |

| | | |
|---|---|---|
| žnaibyti | tingle | [ˈtɪŋgl] |
| žodynas (*knyga*) | dictionary | [ˈdɪkʃənri] |
| žodynėlis (*sąsiuvinis*) | vocabulary | [vəˈkæbjʊləri] |
| žodis | word | [wɜːd] |
| žolė | grass | [grɑːs] |
| žonglierius | juggler | [ˈdʒʌglə] |
| žudyti | murder | [ˈmɜːdə] |
| žurnalas (*periodinis*) | magazine | [ˌmægəˈziːn] |
| (*įrašams*) | register | [ˈredʒɪstə] |
| žuvėdra | seagull | [ˈsiːgʌl] |
| žuvies parduotuvė | fish shop | [ˈfɪʃ ʃɒp] |
| žuvis | fish | [fɪʃ] |
| žvaigždė | star | [stɑː] |
| žvakė | candle | [ˈkændl] |
| žvejyba | fishing | [ˈfɪʃɪŋ] |
| žvejybos tinklas | fishing-net | [ˈfɪʃɪŋnet] |
| žvejys | fisherman | [ˈfɪʃəmən] |
| žvilgterėti | glance | [glɑːns] |
| žvirblis | sparrow | [ˈspærəʊ] |

**Petružienė, Rasa**

Pe264 Anglų-lietuvių lietuvių-anglų kalbų pradžiamokslių žodynas=English-Lithuanian Lithuanian-English Beginning Learner's Dictionary: apie 3000 žodžių/ Rasa Petružienė, Danguolė Žalionienė. — Kaunas: Tyrai, 2000. — 224 p.

ISBN 9955-01-074-6

Žodyne pateikiama apie 3000 anglų kalbos žodžių bei žodžių junginių. Čia paaiškinama, kaip perskaityti anglišką žodį, pateikiamos skaitvardžių, dažniausiai vartojamų netaisyklingųjų veiksmažodžių lentelės. Taip pat yra vardų ir veiksmažodžių trumpųjų formų sąrašai. Žodynas skiriamas visiems, kurie pradeda mokytis anglų kalbos.

UDK 801.3=20=882

SL 250. 7 sp. l. Užsak. Nr. 814
Leidykla "Tyrai", A. Jakšto g..8, 3000 Kaunas
Tel. 205624 El. paštas: tyrai@takas.lt
Iš užsakovo pateiktų pozityvų spausdino
AB spaustuvė „Spindulys", Gedimino g. 10, 3000 Kaunas